중학생을 위한

중1 교과서 대표 영단어 800

문법, 듣기, 독해, 쓰기...
공부할 것은 너무 많고 시간은 없다!

내신 준비도 잘 하고, 영어 실력도 쑥쑥 키우고 싶은
중학생들에게 꼭 필요한 영어책

중학생을 위한 시리즈

중학생을 위한

중1 교과서 대표 영단어 800

구성과 특징

1 내신 시험 적중 100% 교과서 단어 800개

외울 단어가 많나요? 걱정하지 마세요!
중1 영어 교과서에서 쓰인
모든 단어를 분석하여
필수 단어 800개를 엄선했어요.

2 하루에 딱 20개만 40일이면 중1 영단어 끝

단어를 무작정 많이 암기하지 마세요!
하루에 20개씩 40일만 투자해 보세요.
40일 후에는 영어 실력이 쌓이고
영어에 자신감이 생길 거예요.

3 주제별 단어 정리로 연관된 단어끼리 쉽게 암기

단어를 알파벳 순서대로 암기하지 마세요!
같은 주제별로 분류하여 단어를 암기하면
단어들이 머릿속에 고리로 연결되어
쉽게 암기할 수 있어요.

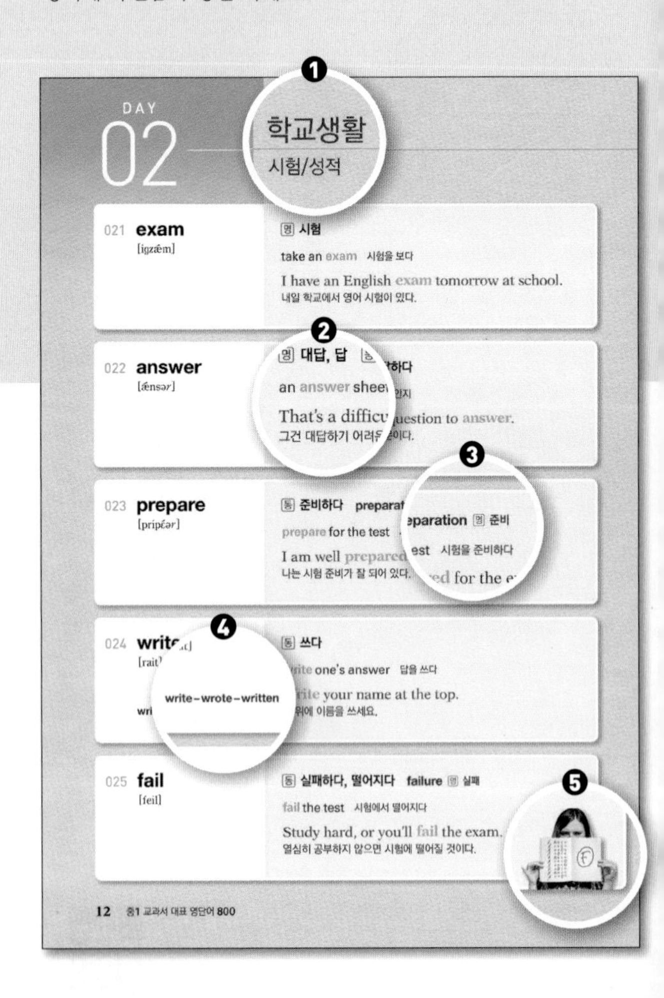

DAY 02
학교생활
시험/성적
021 exam [igzǽm]
명 시험
take an exam 시험을 보다
I have an English exam tomorrow at school.
내일 학교에서 영어 시험이 있다.
022 answer [ǽnsər]
명 대답, 답
an answer sheet
That's a difficult question to answer.
그건 대답하기 어려운 질문이다.
023 prepare [pripέər]
동 준비하다
preparation 명 준비
prepare for the test 시험을 준비하다
I am well prepared for the exam.
나는 시험 준비가 잘 되어 있다.
024 write [rait]
write-wrote-written
동 쓰다
write one's answer 답을 쓰다
Write your name at the top.
위에 이름을 쓰세요.
025 fail [feil]
동 실패하다, 떨어지다 failure 명 실패
fail the test 시험에서 떨어지다
Study hard, or you'll fail the exam.
열심히 공부하지 않으면 시험에 떨어질 것이다.
12 중1 교과서 대표 영단어 800

오늘의 단어

❶ 필수 단어 800개를 주제별로 정리
❷ 단어의 의미 파악에 도움이 되는 적절한 어구와 예문 제시
❸ 표제어의 주요 파생어 수록
❹ 불규칙 변화 동사의 3단 변화형 제시
❺ 암기를 돕는 사진 수록

MP3 CD

- 표제어와 우리말 뜻을 들려주는 **단어만 듣기 암기용 MP3**
- 어구, 예문까지 들려주는 **문장까지 듣기 훈련용 MP3**

4 일일 TEST, 누적 TEST, MP3로 꼼꼼하게 복습

20개마다 일일 TEST로, 100개마다 누적 TEST로 외운 단어를 꼼꼼하게 복습하세요.
또한 단어만 듣기 MP3와 문장까지 듣기 MP3로 따라 말하면서 입과 귀로도 익히세요.

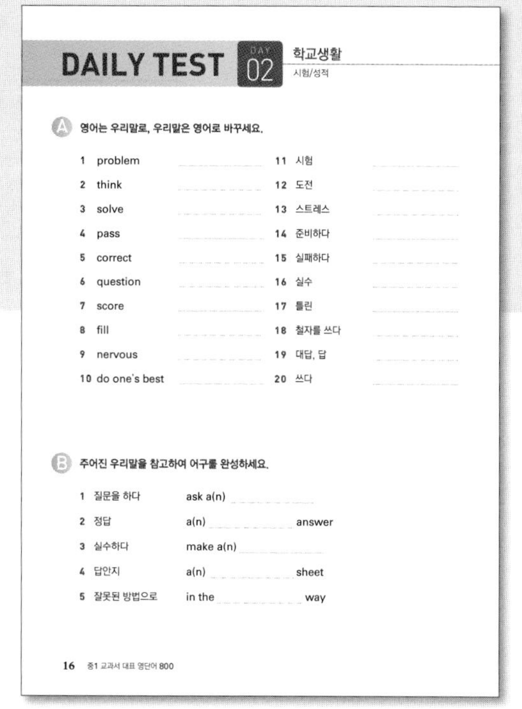

DAILY TEST DAY 02 학교생활 시험/성적

Ⓐ 영어는 우리말로, 우리말은 영어로 바꾸세요.

1 problem		11 시험	
2 think		12 도전	
3 solve		13 스트레스	
4 pass		14 준비하다	
5 correct		15 실패하다	
6 question		16 실수	
7 score		17 틀린	
8 fill		18 철자를 쓰다	
9 nervous		19 대답, 답	
10 do one's best		20 쓰다	

Ⓑ 주어진 우리말을 참고하여 어구를 완성하세요.

1 질문을 하다 ask a(n) ______
2 정답 a(n) ______ answer
3 실수하다 make a(n) ______
4 답안지 a(n) ______ sheet
5 잘못된 방법으로 in the ______ way

16 중1 교과서 대표 영단어 800

누적 TEST 1 주차 DAY 01 - 05

001 vacation	방학	013 숙제	homework
002 proud		014 초등의	
003 honest		015 틀린	
004 plan		016 연습하다	
005 raise		017 채우다	
006 score		018 실패하다	
007 cheer		019 배우다	
008 topic		020 축제	
009 exhibition		021 과학	
010 answer		022 도서관	
011 cafeteria		023 수다를 떨다	
012 culture		024 철자를 쓰다	

36 중1 교과서 대표 영단어 800

DAILY TEST

1일 동안 학습한
총 20개 단어에 대한 TEST로,
단어, 어구, 문장 순서로 복습할 수 있어요.

누적 TEST

지난 1주(5일) 동안 학습한
총 100개 단어를 모두 점검하는 TEST로,
얼마나 잘 암기하고 있는지 확인할 수 있어요.

목차

DAY

01

학교생활

학교/학년

001 **start**
[stɑːrt]

동 **시작하다** 명 **시작**

start in March 3월에 시작하다

The class was boring from **start** to finish.
그 수업은 처음부터 끝까지 지루했다.

002 **absent**
[ǽbsənt]

형 **결석한**

be **absent** from work 결근하다

Several kids are **absent** from school.
아이들 몇 명이 결석했다.

003 **teach**
[tiːtʃ]

teach–taught–taught

동 **가르치다**

teach English 영어를 가르치다

She **teaches** math at a middle school.
그녀는 중학교에서 수학을 가르친다.

004 **grade**
[greid]

명 1. **학년** 2. **성적** 3. **등급**

the first **grade** 1학년

I got good **grades** on the final exam.
나는 기말 시험에서 성적을 잘 받았다.

005 **library**
[láibrèri]

명 **도서관**

library card 도서관 대출 카드

You should be quiet in the **library**.
도서관에서는 조용히 해야 한다.

006 **finish**
[fíniʃ]

동 **끝내다, 끝나다**

one's class **finishes** 수업이 끝나다

What time do you usually **finish** school?
학교는 보통 몇 시에 끝나니?

007 **begin**
[bigín]

begin–began–begun

동 **시작하다**

begin one's studies 공부를 시작하다

The first class **begins** at nine.
첫 수업은 9시에 시작한다.

008 **principal**
[prínsəpəl]

명 **교장 선생님**

principal's office 교장실

The **principal** made a speech welcoming the students.
교장이 학생들을 환영하는 연설을 했다.

009 **blackboard**
[blǽkbɔ̀ːrd]

명 **칠판**

erase the **blackboard** 칠판을 지우다

She wrote some words on the **blackboard**.
그녀는 칠판에 단어 몇 개를 썼다.

010 **elementary**
[èləméntəri]

형 **초등의**

elementary school 초등학교

My sister is an **elementary** school student.
내 여동생은 초등학생이다.

DAY
01

011 classroom
[klǽsrù(:)m]

명 **교실**

classroom activities 교실 활동

My classroom is on the third floor.
우리 교실은 3층에 있다.

012 follow
[fálou]

동 1. **따라가다** 2. **(지시 등을) 따르다**

follow after him 그를 따라가다

We should follow the school rules.
우리는 교칙을 따라야 한다.

013 gym
[dʒim]

명 1. **체육관** 2. **운동**

gym class 체육 수업

They are playing basketball in the gym.
그들은 체육관에서 농구를 하고 있다.

014 playground
[pléigràund]

명 **운동장**

play in the playground 운동장에서 놀다

Let's play soccer in the playground.
운동장에서 축구를 하자.

015 attend
[əténd]

동 1. **참석하다** 2. **~에 다니다**

attend a meeting 모임에 참석하다

We attend the same school.
우리는 같은 학교에 다닌다.

016 **cafeteria**
[kæ̀fətíəriə]

명 **구내식당**

school **cafeteria** 학교 식당

We eat lunch in the school **cafeteria**.
우리는 학교 식당에서 점심을 먹는다.

017 **backpack**
[bǽkpæ̀k]

명 **책가방**

wear a **backpack** 책가방을 매다

We packed our **backpack** to go home.
우리는 집에 가기 위해 책가방을 쌌다.

018 **school uniform**

명 **교복**

wear a **school uniform** 교복을 입다

She was wearing her **school uniform**.
그녀는 교복을 입고 있었다.

019 **go to school**

학교에 가다

I **go to school** by bus.
나는 버스를 타고 학교에 간다.

020 **get along with**

~와 잘 지내다

He **gets along with** his classmates.
그는 급우들과 잘 지낸다.

DAILY TEST DAY 01 학교생활

학교/학년

A 영어는 우리말로, 우리말은 영어로 바꾸세요.

1 finish ....

2 teach ....

3 gym ....

4 start ....

5 attend ....

6 backpack ....

7 grade ....

8 follow ....

9 begin ....

10 go to school ....

11 교복 ....

12 초등의 ....

13 운동장 ....

14 도서관 ....

15 구내식당 ....

16 결석한 ....

17 교장 선생님 ....

18 교실 ....

19 칠판 ....

20 ~와 잘 지내다 ....

B 주어진 우리말을 참고하여 어구를 완성하세요.

1 1학년 the first ....

2 체육 수업 .... class

3 결근하다 be .... from work

4 운동장에서 놀다 play in the ....

5 교실 활동 .... activities

C 우리말에 맞게 빈칸을 채워 문장을 완성하세요.

1 3시에 수업이 끝난다.

Our class ______ at 3 o'clock.

2 그는 걸어서 학교에 간다.

He ______ on foot.

3 나는 이웃들과 잘 지낸다.

I ______ my neighbors.

4 교장실은 2층에 있다.

The ______'s office is on the second floor.

5 그 선생님은 칠판에 필기를 하고 계신다.

The teacher is writing on the ______.

D 빈칸에 알맞은 단어를 골라 쓰세요. (필요하면 형태를 바꾸세요.)

teach	elementary	start	library

1 A new school year ______ in March every year.

2 My dad ______ English when he was young.

3 Don't use your cell phone in the ______.

4 I didn't wear a school uniform in ______ school.

DAY 02

학교생활

시험/성적

021 **exam** [igzǽm]

명 **시험**

take an **exam** 시험을 보다

I have an English **exam** tomorrow at school.
내일 학교에서 영어 시험이 있다.

022 **nervous** [nə́ːrvəs]

형 **불안해하는, 초조해하는**

be **nervous** about ~에 대해 긴장하다

Don't be **nervous**.
You'll do well on the exam.
긴장하지 마라. 너는 시험을 잘 볼 거야.

023 **question** [kwéstʃən]

명 1. **질문** 2. **문제**

ask a **question** 질문을 하다

Today the test **questions** are very hard.
오늘 시험 문제들은 매우 어렵다.

024 **problem** [prɑ́bləm]

명 **문제**

a hard **problem** 어려운 문제

This math **problem** is easy.
이 수학 문제는 쉽다.

025 **fill** [fil]

동 **채우다**

fill in the blank 빈칸을 채우다

You need to **fill** in all the blanks on this paper.
이 시험지의 빈칸을 모두 채워야 한다.

026 **solve**
[sɑlv]

동 **풀다**

solve a problem 문제를 풀다

This problem is hard to **solve**.
이 문제는 풀기 어렵다.

027 **answer**
[ǽnsər]

명 **대답, 답** 동 **대답하다**

an **answer** sheet 답안지

That's a difficult question to **answer**.
그건 대답하기 어려운 질문이다.

028 **write**
[rait]

write-wrote-written

동 **쓰다**

write one's answer 답을 쓰다

Write your name at the top.
맨 위에 이름을 쓰세요.

029 **spell**
[spel]

spell-spelt(spelled)-spelt(spelled)

동 **철자를 쓰다(말하다)**

spell the word 단어의 철자를 쓰다

You must **spell** the words correctly.
단어의 철자를 정확히 써야 한다.

030 **score**
[skɔːr]

명 **점수** 동 **점수를 받다**

test **scores** 시험 점수

You have to **score** above 90.
너는 90점 이상을 받아야 한다.

DAY
02

031 prepare [pripέər]

동 준비하다 **preparation** 명 준비

prepare for the test 시험을 준비하다

I am well prepared for the exam.
나는 시험 준비가 잘 되어 있다.

032 mistake [mistéik]

명 실수, 잘못 동 (mistake-mistook-mistaken) 실수하다

make a mistake 실수하다

He made many mistakes on the last exam.
그는 지난번 시험에서 많은 실수를 했다.

033 challenge [tʃǽlindʒ]

명 도전 동 도전하다

meet a challenge 도전에 대응하다, 시련을 이겨내다

She always challenges herself.
그녀는 항상 자기 자신에게 도전한다.

034 think [θiŋk]

think-thought-thought

동 생각하다

think carefully 신중히 생각하다

You must think again about this problem.
너는 이 문제에 대해 다시 생각해 봐야 한다.

035 stress [stres]

명 스트레스

be under a lot of stress 심한 스트레스를 받고 있다

I feel the stress from the test.
나는 시험으로 인한 스트레스를 받는다.

036 pass [pæs]

동 1. **지나가다, 통과하다** 2. **합격하다**

pass by ~의 옆을 지나가다

I am sure I will **pass** the test easily.
나는 내가 시험에 쉽게 합격할 것이라고 확신한다.

037 wrong [rɔ(:)ŋ]

형 **틀린, 잘못된**

in the **wrong** way 잘못된 방법으로

Cross out the **wrong** answer.
틀린 답은 줄을 그어 지워라.

038 correct [kərékt]

형 **맞는, 올바른** 동 **수정하다**

a **correct** answer 정답

Correct my writing if it's wrong.
제 글에 틀린 것이 있다면 고쳐 주세요.

039 fail [feil]

동 **실패하다, 떨어지다** **failure** 명 실패

fail the test 시험에서 떨어지다

Study hard, or you'll **fail** the exam.
열심히 공부하지 않으면 시험에 떨어질 것이다.

040 do one's best

최선을 다하다

Do your best to the very end.
끝까지 최선을 다해라.

DAILY TEST DAY 02

학교생활
시험/성적

A 영어는 우리말로, 우리말은 영어로 바꾸세요.

1 problem ....
2 think ....
3 solve ....
4 pass ....
5 correct ....
6 question ....
7 score ....
8 fill ....
9 nervous ....
10 do one's best ....
11 시험 ....
12 도전 ....
13 스트레스 ....
14 준비하다 ....
15 실패하다 ....
16 실수 ....
17 틀린 ....
18 철자를 쓰다 ....
19 대답, 답 ....
20 쓰다 ....

B 주어진 우리말을 참고하여 어구를 완성하세요.

1 질문을 하다 ask a(n) ....
2 정답 a(n) .... answer
3 실수하다 make a(n) ....
4 답안지 a(n) .... sheet
5 잘못된 방법으로 in the .... way

C 우리말에 맞게 빈칸을 채워 문장을 완성하세요.

1 기말고사가 마침내 끝났다.

The final ______________ is finally finished.

2 그들은 시험을 준비해야 했다.

They had to ______________ for the test.

3 나는 시험에서 떨어지길 원하지 않는다.

I don't want to ______________ the test.

4 그녀는 요즘 스트레스를 많이 받고 있다.

She is under a lot of ______________ these days.

5 시험에 합격해서 정말 기쁘다.

I'm really glad to ______________ the test.

D 빈칸에 알맞은 단어를 골라 쓰세요.

fill	solve	nervous	score

1 She is ______________ about the test.

2 You have to ______________ in all the blanks.

3 He got a perfect ______________ on the math test.

4 I don't know how to ______________ the problem.

DAY 03

학교생활

수업/숙제

041 **lesson** [lésən]

명 1. 수업 2. 과

take a lesson 수업을 받다

This book is divided into 12 lessons.
이 책은 12개의 과로 나뉘어 있다.

042 **teacher** [tíːtʃər]

명 교사, 선생 teach 동 가르치다

a homeroom teacher 담임 선생님

My English teacher is very kind.
우리 영어 선생님은 매우 친절하시다.

043 **explain** [ikspléin]

동 설명하다

explain everything clearly 모든 것을 명확히 설명하다

Let me explain why you are wrong.
네가 왜 틀렸는지 설명해줄게.

044 **study** [stʌ́di]

동 공부하다 명 공부, 학업

a study group 스터디 그룹

Last night, I studied until midnight.
나는 어젯밤에 자정까지 공부했다.

045 **learn** [ləːrn]

동 배우다

learn a foreign language 외국어를 배우다

We will learn how to divide in our math class.
우리는 수학 시간에 나누기를 배울 것이다.

046 **review** [rivjúː]

동 **복습하다, 논평하다** 명 **복습, 논평**

a movie **review** 영화 평론

It is important to **review** every day.
매일 복습하는 것이 중요하다.

047 **note** [nout]

명 1. **메모** 2. (-s) **필기**

make a **note** of ~을 메모하다

She sat taking **notes** of everything.
그녀는 모든 내용을 필기하면서 앉아 있었다.

048 **practice** [prǽktis]

명 **연습** 동 **연습하다**

a **practice** game 연습 게임

The players **practice** soccer every day.
선수들은 매일 축구 연습을 한다.

049 **repeat** [ripíːt]

동 **반복하다**

repeat after the teacher 선생님 말씀을 따라 하다

Repeat the last step three times.
마지막 단계를 세 번 반복해라.

050 **raise** [reiz]

동 **올리다, 들다**

raise one's hand 손을 들다

If you have any questions, **raise** your hand.
질문할 사람은 손을 드세요.

DAY
03

051 **subject**
[sʌ́bdʒikt]

명 1. **주제** 2. **과목**

a subject of conversation 대화 주제(화제)

What's your favorite subject?
가장 좋아하는 과목이 뭐니?

052 **math**
[mæθ]

명 **수학**(= mathematics)

a math exam 수학 시험

I'm not good at math.
나는 수학을 잘 못한다.

053 **number**
[nʌ́mbər]

명 **수, 숫자**

even numbers 짝수
odd numbers 홀수

First, add the numbers together.
우선 모든 수들을 더해라.

054 **culture**
[kʌ́ltʃər]

명 **문화**

traditional culture 전통 문화

We learned about the cultures of other countries.
우리는 다른 나라의 문화에 대해 배웠다.

055 **science**
[sáiəns]

명 **과학** **scientific** 형 과학의

a science lab 과학실

She felt interested in studying science.
그녀는 과학을 공부하는 것에 흥미를 느꼈다.

056 P.E.

명 **체육**(=physical education)

P.E. class 체육 수업

In **P.E.** class we have to wear gym uniforms.
체육 시간에 우리는 체육복을 입어야 한다.

057 homework
[hóumwə̀ːrk]

명 **숙제, 과제**

do one's **homework** 숙제를 하다

He has almost finished his **homework**.
그는 숙제를 거의 끝냈다.

058 topic
[tápik]

명 **화제, 주제**

the **topic** sentence 주제문

What is the **topic** of this story?
이 이야기의 주제는 무엇인가?

059 textbook
[tékstbùk]

명 **교과서**

an English **textbook** 영어 교과서

I forgot to bring my **textbook**.
깜박하고 교과서를 안 가져왔다.

060 schedule
[skédʒuːl]

명 1. **일정, 예정** 2. **시간표**

a class **schedule** 수업 시간표

I have a busy **schedule** this weekend.
나는 이번 주말에 일정이 바쁘다.

DAILY TEST DAY 03

학교생활
수업/숙제

A 영어는 우리말로, 우리말은 영어로 바꾸세요.

1	math	11	교과서
2	subject	12	일정, 시간표
3	lesson	13	교사, 선생
4	practice	14	복습하다
5	raise	15	과학
6	learn	16	숙제
7	topic	17	문화
8	repeat	18	설명하다
9	study	19	체육
10	note	20	수, 숫자

B 주어진 우리말을 참고하여 어구를 완성하세요.

1 담임 선생님 a homeroom ....

2 손을 들다 .... one's hand

3 과학실 a(n) .... lab

4 주제문 the .... sentence

5 수업을 받다 take a(n) ....

C 우리말에 맞게 빈칸을 채워 문장을 완성하세요.

1 내가 가장 좋아하는 과목은 음악이다.
My favorite ______ is music.

2 그녀는 매일 피아노 연습을 한다.
She ______ the piano every day.

3 수학 선생님은 모든 것을 명확하게 설명하신다.
My math teacher ______ everything clearly.

4 나는 저녁 식사 후에 숙제를 한다.
I do my ______ after dinner.

5 우리는 영어 교과서를 펼쳤다.
We opened our English ______.

D 빈칸에 알맞은 단어를 골라 쓰세요.

study	note	repeat	culture

1 She has to ______ for an exam.

2 They want to learn about Korean ______.

3 I make a ______ of what the teachers said.

4 Listen and ______ each sentence after me.

DAY 04

학교생활

학교 행사

061 event [ivént]

명 **행사**

a school **event** 학교 행사

There are many interesting **events** in the sports day.
운동회에는 많은 재미있는 행사들이 있다.

062 contest [kántest]

명 **대회, 시합**

an eating **contest** 먹기 대회

She's practicing for the singing **contest**.
그녀는 노래 자랑 대회를 위해 연습하고 있다.

063 vacation [veikéiʃən]

명 **방학, 휴가**

summer **vacation** 여름 방학

The winter **vacation** is just around the corner.
곧 겨울 방학이다.

064 visit [vízit]

동 **방문하다** 명 **방문**

visit one's grandparents 조부모님을 뵈러 가다

It's my first **visit** to Seoul.
이번이 나의 서울 첫 방문이다.

065 hold [hould]

hold–held–held

동 1. **잡다, 쥐다** 2. **(행사 등을) 열다, 개최하다**

hold one's hand ~의 손을 잡다

We decided to **hold** the event at a park.
우리는 공원에서 행사를 개최하기로 결심했다.

066 **festival**
[féstivəl]

명 **축제**

a school **festival** 학교 축제

The **festival** is held year after year.
그 축제는 매년 열린다.

067 **enter**
[éntər]

동 1. **들어가다** 2. **참가하다**

enter a school 학교에 들어가다(입학하다)

She will **enter** the science contest.
그녀는 과학 경시 대회에 참가할 것이다.

068 **speech**
[spiːtʃ]

명 **연설, 담화** **speak** 동 말하다

make a **speech** 연설하다

I'll take part in an English **speech** contest.
나는 영어 말하기 대회에 나갈 것이다.

069 **prize**
[praiz]

명 **상, 상품**

win the first **prize** 일등상을 타다

He won the **prize** by getting top marks.
그는 최고 득점으로 상을 탔다.

070 **president**
[prézidənt]

명 1. **대통령** 2. **회장, 사장**

the **President** of the United States 미국 대통령

I want to be a class **president**.
나는 학급 회장이 되고 싶다.

DAY
04

071 **elect**
[ilékt]

동 **선출하다** **election** 명 선거, 당선

elect the class president 학급 회장을 선출하다

He was elected chairman of the club.
그는 그 동아리의 회장으로 선출되었다.

072 **field trip**

명 **현장 학습, 수학 여행**

take a field trip 현장 학습 가다

We will go on a field trip to Jejudo.
우리는 제주도로 수학 여행을 갈 것이다.

073 **activity**
[æktívəti]

명 **활동** **active** 형 활동적인

club activity 클럽 활동

I joined a soccer club activity this year.
나는 올해 클럽 활동으로 축구 반에 들었다.

074 **welcome**
[wélkəm]

동 **환영하다, 맞이하다** 명 **환영**

welcome a guest 손님을 맞이하다

Thank you for your warm welcome.
따뜻하게 환영해 주셔서 감사합니다.

075 **dance**
[dæns]

명 **춤, 무용** 동 **춤을 추다**

modern dance 현대 무용

Some of my classmates are dancing to music.
나의 급우 중 몇 명은 음악에 맞춰 춤을 추고 있다.

076 **stage**
[steidʒ]

명 1. **단계** 2. **무대**

the first **stage** 첫 단계

They're singing along on **stage**.
그들은 무대 위에서 노래하고 있다.

077 **exhibition**
[èksəbíʃən]

명 **전시, 전시회** **exhibit** 동 전시하다

an art **exhibition** 미술 전시회

Our school will hold a photo **exhibition**.
우리 학교는 사진 전시회를 열 것이다.

078 **picnic**
[píknik]

명 **소풍**

go on a **picnic** 소풍을 가다

We are having a **picnic** tomorrow.
우리는 내일 소풍을 간다.

079 **provide**
[prəváid]

동 **제공하다, 주다**

provide a service 서비스를 제공하다

They **provide** a fun event for the children.
그들은 아이들을 위해 즐거운 행사를 제공한다.

080 **plan**
[plæn]

명 **계획** 동 **계획하다**

make a **plan** 계획을 세우다

We have to **plan** for the school festival.
우리는 학교 축제를 위한 계획을 세워야 한다.

DAILY TEST DAY 04

학교생활

학교 행사

A 영어는 우리말로, 우리말은 영어로 바꾸세요.

1	visit		11	방학
2	welcome		12	전시회
3	enter		13	축제
4	elect		14	연설
5	picnic		15	단계, 무대
6	hold		16	상, 상품
7	contest		17	현장 학습
8	event		18	활동
9	president		19	춤, 무용
10	plan		20	제공하다

B 주어진 우리말을 참고하여 어구를 완성하세요.

1 여름 방학 summer ....

2 연설하다 make a(n) ....

3 일등상을 타다 win the first ....

4 소풍 가다 go on a(n) ....

5 계획을 세우다 make a(n) ....

C 우리말에 맞게 빈칸을 채워 문장을 완성하세요.

1 우리는 경주로 수학 여행을 갈 것이다.

We will go on a ______ to Gyeongju.

2 그들은 한국의 역사적으로 유명한 곳들을 방문하길 원한다.

They want to ______ historical places in Korea.

3 우리는 오늘 학급 회장을 선출할 것이다.

We will ______ the class president today.

4 우리는 마을에서 온 손님들을 환영했다.

We ______ the guests from town.

5 어느 나라가 그 행사를 개최할까?

Which country will ______ the event?

D 빈칸에 알맞은 단어를 골라 쓰세요. (필요하면 형태를 바꾸세요.)

stage	enter	provide	exhibition

1 They ______ us with a lot of food yesterday.

2 The band is playing on the ______.

3 Many people visited the flower ______.

4 She ______ the eating contest last year.

DAY 05

학교생활

친구 관계

081 **friendship**
[fréndʃip]

명 **우정**

build a true **friendship** 진정한 우정을 쌓다

A strong **friendship** grew between them.
그들 사이에 끈끈한 우정이 싹텄다.

082 **nickname**
[níknèim]

명 **별명**

call me by my **nickname** 나를 별명으로 부르다

His **nickname** is "chopsticks."
그의 별명은 '젓가락'이다.

083 **close**
[klous]

형 **가까운** 동 [klouz] **닫다**

a **close** friend 가까운 친구

Please **close** the window.
창문 좀 닫아주세요.

084 **chat**
[tʃæt]

동 **수다를 떨다** 명 **수다, 담소**

chat on the phone 전화로 수다를 떨다

She had a long **chat** with her friend.
그녀는 친구와 오래 수다를 떨었다.

085 **like**
[laik]

동 **좋아하다**

like spending time together 함께 시간 보내는 것을 좋아하다

I **like** you the way you are.
나는 있는 그대로의 너를 좋아해.

086 **smile**
[smail]

동 **웃다, 미소 짓다** 명 **웃음, 미소**

smile at each other 서로에게 미소 짓다

My friend had a big **smile** on his face.
내 친구는 얼굴에 함박웃음을 짓고 있었다.

087 **express**
[iksprés]

동 **표현하다** 명 **급행열차** **expression** 명 표현

express one's thanks 고마움을 표현하다

The **express** started from Busan on time.
급행열차는 정시에 부산에서 출발했다.

088 **understand**
[ʌ̀ndərstǽnd]

understand-understood-understood

동 **이해하다**

understand each other 서로 이해하다

I can't **understand** what you said.
난 네가 한 말을 이해하지 못하겠어.

089 **special**
[spéʃəl]

형 **특별한**

a **special** event 특별 행사

I think that my friend is a **special** person.
나는 내 친구가 특별한 사람이라고 생각한다.

090 **communicate**
[kəmjúːnəkèit]

동 **의사소통을 하다, 연락을 주고받다**

communicate with ~와 연락을 주고받다

We **communicate** to each other every day.
우리는 매일 서로 의사소통을 한다.

DAY 05

091 **happiness** [hǽpinis]

명 **행복** **happy** 형 행복한

feel happiness 행복을 느끼다

You are the reason for my happiness.
너는 내 행복의 근원이다.

092 **cheer** [tʃiər]

명 **환호, 격려** 동 **환호하다, 격려하다**

speak words of cheer 격려의 말을 하다

My friend always cheers me up.
나의 친구는 항상 나를 격려한다.

093 **worry** [wə́:ri]

동 **걱정하다**

worry about one's future 미래에 대해 걱정하다

Don't worry. You're doing just fine.
걱정 마라. 너는 잘하고 있다.

094 **forgive** [fərgív]

forgive–forgave–forgiven

동 **용서하다**

forgive one's mistake 실수를 용서하다

Please forgive me if I am wrong.
잘못이 있으면 용서해 줘.

095 **proud** [praud]

형 **자랑스러운** **pride** 명 자랑스러움, 자부심

be proud of ~을 자랑스러워하다

I am proud of my friend.
나는 내 친구를 자랑스러워한다.

096 trust [trʌst]

명 **신뢰, 신임** 동 **신뢰하다, 믿다**

build up **trust** 신뢰를 쌓다

She can't **trust** him because he lied to her.
그가 그녀에게 거짓말을 해서 그녀는 그를 믿을 수 없다.

097 honest [ɑ́nist]

형 **정직한** **honesty** 명 정직

honest with each other 서로에게 정직한

I believe him to be **honest**.
나는 그가 정직하다고 믿는다.

098 quarrel [kwɔ́(:)rəl]

동 **다투다, 싸우다** 명 **다툼, 싸움**

a family **quarrel** 가족간의 다툼

When we **quarrel**, we soon make up.
우리는 싸워도 곧 화해한다.

099 helpful [hélpfəl]

형 **도움이 되는** **help** 동 돕다

helpful advice 도움이 되는 조언

I try to be **helpful** to my friends.
나는 친구들에게 도움이 되려고 노력한다.

100 hang out

어울려 놀다

She likes to **hang out** with her friends.
그녀는 친구들과 어울려 노는 것을 좋아한다.

DAILY TEST DAY 05

학교생활
친구 관계

A 영어는 우리말로, 우리말은 영어로 바꾸세요.

1 quarrel ....
2 close ....
3 proud ....
4 chat ....
5 cheer ....
6 like ....
7 honest ....
8 special ....
9 understand ....
10 trust ....
11 행복 ....
12 우정 ....
13 걱정하다 ....
14 별명 ....
15 용서하다 ....
16 미소 짓다 ....
17 의사소통을 하다 ....
18 표현하다 ....
19 도움이 되는 ....
20 어울려 놀다 ....

B 주어진 우리말을 참고하여 어구를 완성하세요.

1 신뢰를 쌓다 build up ....
2 가까운 친구 a(n) .... friend
3 특별 행사 a(n) .... event
4 ~을 자랑스러워하다 be .... of
5 전화로 수다를 떨다 .... on the phone

C 우리말에 맞게 빈칸을 채워 문장을 완성하세요.

1 우리는 우리의 미래에 대해 걱정한다.
We ________ about our future.

2 나는 너와 진정한 우정을 쌓길 원한다.
I want to build a true ________ with you.

3 친구들이라면 서로 이해하려고 노력해야 한다.
Friends are supposed to try to ________ each other.

4 나의 친구는 항상 내 실수들을 용서해준다.
My friend always ________ my mistakes.

5 두 소녀들은 서로에게 미소 짓고 있다.
The two girls are ________ at each other.

D 빈칸에 알맞은 단어를 골라 쓰세요.

happiness	express	nickname	communicate

1 My friends call me by my ________.

2 I ________ with my cousin in China by email.

3 When she meets her friends, she feels ________.

4 I want to ________ my thanks to my parents.

누적 TEST 1 주차 DAY 01 - 05

001 **vacation**
방학

002 **proud**

003 **honest**

004 **plan**

005 **raise**

006 **score**

007 **cheer**

008 **topic**

009 **exhibition**

010 **answer**

011 **cafeteria**

012 **culture**

013 **숙제**
homework

014 **초등의**

015 **틀린**

016 **연습하다**

017 **채우다**

018 **실패하다**

019 **배우다**

020 **축제**

021 **과학**

022 **도서관**

023 **수다를 떨다**

024 **철자를 쓰다**

025 **follow**

026 **explain**

027 **close**

028 **question**

029 **repeat**

030 **speech**

031 **quarrel**

032 **prize**

033 **absent**

034 **note**

035 **textbook**

036 **start**

037 좋아하다

038 불안해하는

039 맞는, 올바른

040 실수

041 준비하다

042 교복

043 무대, 단계

044 학교에 가다

045 현장 학습

046 공부하다

047 선생님

048 대회, 시합

누적 TEST 1 주차 DAY 01-05

049 **problem**

050 **enter**

051 **lesson**

052 **grade**

053 **write**

054 **begin**

055 **hold**

056 **welcome**

057 **exam**

058 **picnic**

059 **subject**

060 **blackboard**

061 **do one's best**

062 수학

063 책가방

064 생각하다

065 ~와 잘 지내다

066 선출하다

067 복습하다

068 교장 선생님

069 도전

070 풀다

071 대통령

072 일정, 시간표

073 스트레스

074 교실

075 special

076 attend

077 trust

078 event

079 playground

080 activity

081 understand

082 hang out

083 provide

084 worry

085 P.E.

086 communicate

087 finish

088 미소 짓다

089 체육관

090 용서하다

091 행복

092 춤추다

093 가르치다

094 도움이 되는

095 지나가다, 합격하다

096 표현하다

097 숫자

098 우정

099 별명

100 방문하다

DAY 06

학교생활

친구 관계

101 **share** [ʃɛər]

동 1. 함께 쓰다 2. 나누다

share a house 집을 함께 쓰다

I will share my ideas with others.
나는 내 생각을 다른 사람들과 나눌 것이다.

102 **friendly** [fréndli]

형 다정한, 친절한 **friend** 명 친구

a friendly person 친절한 사람

Mina is very warm and friendly.
미나는 매우 따뜻하고 다정하다.

103 **kind** [kaind]

형 친절한 명 종류

a kind manner 친절한 태도

What kind of food do you like?
어떤 종류의 음식을 좋아하니?

104 **lovely** [lʌ́vli]

형 사랑스러운

a lovely smile 사랑스러운 미소

My friend Judy is lovely and pretty.
내 친구 Judy는 사랑스럽고 예쁘다.

105 **popular** [pápjələr]

형 인기 있는

a popular singer 인기 가수

She is popular with her friends.
그녀는 친구들 사이에 인기가 있다.

친구 관계에서 일어날 수 있는 일들과 '친절한, 사랑스러운, 인기 있는'과 같이 친구의 특성을 나타내는 영어 표현을 알아볼까요?

106 **same** [seim]

형 **같은**

the **same** school 같은 학교

They are all much the **same** in height.
그들은 모두 키가 무척 비슷하다.

107 **different** [dífərənt]

형 **다른** **differ** 동 다르다

be **different** from ~와 다르다

My friend and I have **different** tastes.
내 친구와 나는 취향이 다르다.

108 **secret** [sí:krit]

명 **비밀**

keep a **secret** 비밀을 지키다

I will not tell you his **secret**.
나는 너에게 그의 비밀을 말하지 않을 것이다.

109 **together** [təgéðər]

부 **함께, 같이**

live **together** 함께 살다

We will study **together** for the exam.
우리는 함께 시험 공부할 것이다.

110 **between** [bitwí:n]

전 **~ 사이에**

between classes 수업 사이에

The most important thing **between** friends is trust.
친구 사이에 가장 중요한 것은 신뢰이다.

DAY
06

111 bother
[bɑ́ðər]

동 1. **괴롭히다** 2. **신경 쓰다**

Don't **bother**. 신경 쓰지 마라.

I'm busy, so don't **bother** me.
나는 바쁘니까 나를 괴롭히지 마라.

112 comfortable
[kʌ́mfərtəbl]

형 **편안한**

feel **comfortable** 편안함을 느끼다

I feel **comfortable** with my friends.
나는 친구들과 있으면 편안함을 느낀다.

113 letter
[létər]

명 1. **편지** 2. **문자, 글자**

write a **letter** 편지를 쓰다

'A' is the first **letter** of the alphabet.
'A'는 알파벳의 첫 번째 글자다.

114 address
[ædrés]

명 1. **주소** 2. **연설**

home **address** 집 주소

His **address** was great.
그의 연설은 훌륭했다.

115 call
[kɔːl]

동 1. **부르다** 2. **전화하다** 명 **전화 (통화)**

call one's name 이름을 부르다

I **called** my teacher for advice about my friend.
나는 친구에 대한 조언을 구하려고 선생님께 전화했다.

116 **joke**
[dʒouk]

명 **농담**

tell a **joke** 농담을 하다

He made a **joke** to make people laugh.
그는 사람들을 웃게 하려고 농담을 했다.

117 **angry**
[ǽŋgri]

형 **화난, 성난**

be **angry** with ~에게 화가 나다

Please don't be **angry** with me.
제발 나에게 화내지 마.

118 **fight**
[fait]

fight-fought-fought

동 **싸우다** 명 **싸움**

fight with one's friend 친구와 싸우다

Did you have a **fight** with Tommy?
너는 Tommy와 싸웠니?

119 **sorry**
[sɔ́(:)ri]

형 1. **미안한** 2. **유감스러운**

be **sorry** for ~에 대해 미안하다

I'm **sorry** that you failed the test.
네가 시험에 떨어졌다니 유감스럽다.

120 **each other**

대 **서로**

help **each other** 서로 돕다

They fight with **each other** every time.
그들은 매번 서로 싸운다.

DAILY TEST

학교생활

친구 관계

A 영어는 우리말로, 우리말은 영어로 바꾸세요.

1 bother ____________

2 between ____________

3 share ____________

4 same ____________

5 each other ____________

6 call ____________

7 fight ____________

8 friendly ____________

9 sorry ____________

10 kind ____________

11 비밀 ____________

12 편안한 ____________

13 다른 ____________

14 편지 ____________

15 화난 ____________

16 사랑스러운 ____________

17 함께 ____________

18 주소 ____________

19 농담 ____________

20 인기 있는 ____________

B 주어진 우리말을 참고하여 어구를 완성하세요.

1 ~와 다르다 be ____________ from

2 편안함을 느끼다 feel ____________

3 집 주소 home ____________

4 서로 돕다 help ____________

5 편지를 쓰다 write a(n) ____________

C 우리말에 맞게 빈칸을 채워 문장을 완성하세요.

1 그녀는 예의 바르고 다정한 사람이다.

She is a polite and ________ person.

2 그녀의 사랑스러운 미소는 나를 행복하게 한다.

Her ________ smile makes me happy.

3 어제 내가 말했던 것에 대해 미안하다.

I am ________ for what I said yesterday.

4 제발 나를 괴롭히지 마.

Please don't ________ me.

5 이러한 계획들은 비밀에 부쳐져야 한다.

These plans must be kept ________.

D 빈칸에 알맞은 단어를 골라 쓰세요.

between	fight	together	popular

1 Suji is the most ________ student in our school.

2 He'll be back ________ 3 o'clock and 4 o'clock.

3 You must not ________ with your friends.

4 He came to my house to do homework ________.

DAY 07

사회생활

인사/소개

121 **greet**
[griːt]

동 **인사하다, 맞이하다** **greeting** 명 인사

greet a guest 손님을 맞이하다

Mom always greets me with a big smile.
엄마는 항상 환한 미소로 나를 맞아 주신다.

122 **introduce**
[ìntrədjúːs]

동 **소개하다**

introduce oneself 자기 소개를 하다

She introduced herself to them.
그녀는 그들에게 자기 소개를 했다.

123 **bring**
[briŋ]

bring-brought-brought

동 **가져오다, 데려오다**

bring along ~을 데리고 오다

He brought his girlfriend to the party.
그는 파티에 여자친구를 데리고 왔다.

124 **confident**
[kánfidənt]

형 1. **자신감 있는** 2. **확신하는** **confidence** 명 자신감, 신뢰

a confident voice 자신감 있는 목소리

I'm confident that you'll win the game.
나는 네가 경기에 이길 거라고 확신한다.

125 **pleased**
[pliːzd]

형 **기쁜** **please** 동 기쁘게 하다

be pleased to hear 듣게 되어 기쁘다

He was pleased at his father's present.
그는 아빠의 선물을 받고 기뻐했다.

126 **name**
[neim]

명 **이름**

ask one's **name** 이름을 묻다

What is your last **name**?
당신의 성은 무엇인가요?

127 **job**
[dʒɑb]

명 **일, 직장**

part-time **job** 시간제 일자리, 아르바이트

She is trying to get a **job**.
그녀는 직장을 얻으려 애쓰고 있다.

128 **bow**
[bau]

동 **절하다, 머리 숙여 인사하다**

bow to the teacher 선생님께 머리 숙여 인사하다

They **bowed** to each other.
그들은 서로 머리 숙여 인사했다.

129 **information**
[ìnfərméiʃən]

명 **정보** **inform** 동 알리다

useful **information** 유익한 정보

They must share **information** with each other.
그들은 서로 정보를 공유해야 한다.

130 **long face**

우울한 얼굴

have a **long face** 우울한 얼굴을 하다

She talked to me with a **long face**.
그녀는 우울한 얼굴로 내게 말했다.

131 **exchange**
[ikstʃéindʒ]

명 **교환, 주고받음** 동 **교환하다**

exchange of ideas 아이디어 교환

They exchanged business cards.
그들은 명함을 교환했다.

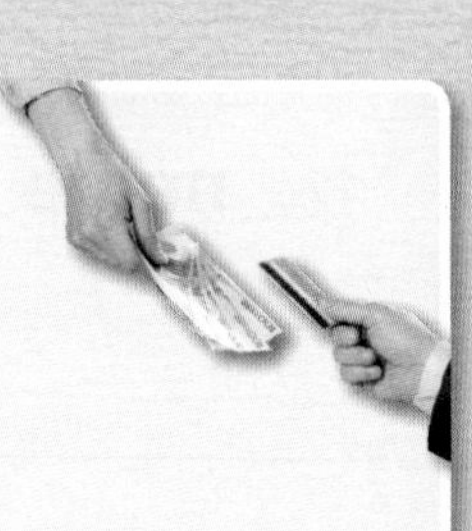

132 **manners**
[mǽnərs]

명 **예의**

have good manners 예의가 바르다

You must watch your manners.
너는 예의를 지켜야 한다.

133 **let**
[let]

let-let-let

동 **~하게 하다, 허락하다**

let me know 알려 달라

Let me introduce myself to you.
당신에게 제 소개를 할게요.

134 **farewell**
[fὲərwél]

명 **작별 인사**

a farewell party 송별회

I said farewell to my friend.
나는 내 친구에게 작별 인사를 했다.

135 **happen**
[hǽpən]

동 **일어나다, 발생하다**

happen to someone (어떤 일이) ~에게 일어나다

What happened to you?
너에게 무슨 일이 일어났니?

136 **send**
[send]

send-sent-send

동 **보내다**

send one's love to ~에게 안부를 전하다

He didn't **send** her a letter.
그는 그녀에게 편지를 보내지 않았다.

137 **remember**
[rimémbər]

동 **기억하다**

remember his name 그의 이름을 기억하다

I don't **remember** if I met him.
내가 그를 만났었는지 기억이 안 난다.

138 **live**
[liv]

동 **살다** 형 [laiv] 1. **살아있는** 2. **생방송의**

live animals 살아있는 동물들

They **live** in Busan.
그들은 부산에 산다.

139 **glad**
[glæd]

형 **기쁜, 반가운**

glad news 기쁜 소식

I'm **glad** to meet you.
만나서 반가워.

140 **shake hands**

악수하다

The men are **shaking hands** with each other.
그 남자들은 서로 악수하고 있다.

DAILY TEST DAY 07 사회생활
인사/소개

A 영어는 우리말로, 우리말은 영어로 바꾸세요.

1 greet		11 자신감 있는	
2 let		12 예의	
3 pleased		13 정보	
4 happen		14 이름	
5 live		15 우울한 얼굴	
6 bring		16 작별 인사	
7 glad		17 일, 직장	
8 send		18 교환하다	
9 remember		19 절하다	
10 introduce		20 악수하다	

B 주어진 우리말을 참고하여 어구를 완성하세요.

1 예의가 바르다 have good ______

2 송별회 a(n) ______ party

3 살아있는 동물들 ______ animals

4 손님을 맞이하다 ______ a guest

5 시간제 일자리 part-time ______

C 우리말에 맞게 빈칸을 채워 문장을 완성하세요.

1 제가 남동생을 파티에 데리고 와도 될까요?

Can I ______ my brother along to the party?

2 우리는 선생님들께 머리 숙여 인사해야 해.

We must ______ to our teachers.

3 나는 너를 나의 부모님께 소개하고 싶다.

I want to ______ you to my parents.

4 우리는 승리를 확신한다.

We are ______ of victory.

5 왜 우울한 얼굴을 하고 있니?

Why do you have a(n) ______?

D 빈칸에 알맞은 단어를 골라 쓰세요.

send	pleased	exchange	information

1 She was ______ to hear from her son.

2 Mina and I share a lot of ______.

3 ______ my love to your sister.

4 We will ______ our phone numbers.

DAY 08

사회생활

부탁/추천/권유

141 **favor**
[féivər]

명 **호의, 친절**

do me a favor 나에게 호의를 베풀다

May I ask a favor of you?
제가 당신에게 부탁해도 될까요?

142 **donate**
[dóuneit]

동 **기부하다, 기증하다** **donation** 명 기부, 기증

donate blood 헌혈하다

I'm going to donate some money.
나는 돈을 좀 기부할 것이다.

143 **join**
[dʒɔin]

동 1. **가입하다** 2. **함께 하다**

join a club 클럽에 가입하다

Will you join us for lunch?
우리와 점심 함께 할래?

144 **lend**
[lend]

lend–lent–lent

동 **빌려 주다**

lend a hand 도와주다

Can you lend me a thousand won?
천 원만 빌려 줄 수 있니?

145 **carry**
[kǽri]

동 1. **나르다** 2. **가지고 다니다**

carry the boxes to the room 상자들을 방으로 옮기다

Let me help you carry your bag.
가방 드는 것을 내가 도와줄게.

돈을 빌리거나 짐 옮기는 것을 부탁할 때, 좋은 책을 추천하거나 자원봉사 할 것을 권유할 때 어떻게 영어로 표현할까요?

146 **borrow** [bɑ́rou]

동 **빌리다**

borrow money 돈을 빌리다

Can I **borrow** some books from the library?
제가 도서관에서 책 몇 권을 빌릴 수 있을까요?

147 **use** [juːz]

동 **쓰다, 사용하다** 명 [juːs] **사용, 이용**

use his phone 그의 전화를 사용하다

The gym is for the **use** of members only.
그 체육관은 회원들만 이용할 수 있다.

148 **suggest** [səgdʒést]

동 **제안하다**

suggest a new plan 새로운 계획을 제안하다

Doctors **suggest** eating breakfast.
의사들은 아침을 먹을 것을 제안한다.

149 **quiet** [kwáiət]

형 **조용한**

keep **quiet** 조용히 하다

May I ask you to be **quiet**?
조용히 좀 해 주겠니?

150 **polite** [pəláit]

형 **예의바른, 공손한**

polite to ~에게 예의바른

You must be **polite** to your neighbor.
당신은 당신의 이웃에게 공손해야 한다.

151 careful
[kέərfəl]

형 조심하는, 주의 깊은

be careful of ~을 조심하다

Be careful when you use the knife.
칼을 사용할 때 조심해라.

152 recommend
[rèkəménd]

동 추천하다, 권하다

recommend a book 책을 추천하다

She recommended eating an apple every morning.
그녀는 아침마다 사과 한 개를 먹을 것을 권했다.

153 opinion
[əpínjən]

명 의견

in my opinion 내 생각으로는

Express your opinion freely.
자유롭게 당신의 의견을 표현하세요.

154 task
[tæsk]

명 과제, 업무

do a task 업무를 수행하다

It's not an easy task.
그건 쉬운 일이 아니다.

155 volunteer
[vɑ̀ləntíər]

명 자원봉사자 동 자원하다, 자원봉사를 하다

work as a volunteer 자원봉사자로 일하다

I volunteer at a nursing home every Sunday.
나는 일요일마다 양로원에서 자원봉사를 한다.

156 **attention**
[ətén∫ən]

명 주의, 주목 **attend** 동 참석하다, 주의를 기울이다

pay **attention** to ~에게 집중하다

Please pay **attention** to your teacher.
선생님께 집중하세요.

157 **rest**
[rest]

명 1. 나머지 2. 휴식 동 쉬다

the **rest** of one's life 남은 평생(여생)

The doctor told me to get some **rest**.
의사는 나에게 휴식을 취하라고 말했다.

158 **help**
[help]

동 돕다 명 도움

help me with 내가 ~하는 것을 도와주다

Do you need any **help** with that?
그거 하는 데 도움이 필요하니?

159 **ask**
[æsk]

동 1. 묻다 2. 부탁하다

ask a question 질문하다

You can **ask** for my help when you need it.
네가 필요할 때 나의 도움을 부탁해도 돼.

160 **request**
[rikwést]

명 요청, 요구 동 요청하다

make a **request** 부탁하다, 요청하다

You are **requested** to be quiet in the library.
도서관에서는 정숙해 주시기를 요청합니다.

DAILY TEST

사회생활
부탁/추천/권유

A 영어는 우리말로, 우리말은 영어로 바꾸세요.

1 use ....
2 request ....
3 borrow ....
4 ask ....
5 carry ....
6 lend ....
7 help ....
8 careful ....
9 join ....
10 recommend ....
11 호의 ....
12 의견 ....
13 자원봉사자 ....
14 제안하다 ....
15 예의바른 ....
16 주의, 주목 ....
17 기부하다 ....
18 나머지, 휴식 ....
19 조용한 ....
20 과제, 업무 ....

B 주어진 우리말을 참고하여 어구를 완성하세요.

1 나에게 호의를 베풀다 — do me a(n) ....
2 ~에게 집중하다 — pay .... to
3 새로운 계획을 제안하다 — .... a new plan
4 남은 평생(여생) — the .... of one's life
5 내 생각으로는 — in my ....

C 우리말에 맞게 빈칸을 채워 문장을 완성하세요.

1 차 조심해라.

Be ______ of the traffic.

2 나는 모든 10대들에게 그 책을 추천한다.

I ______ the book to all teenagers.

3 잠시 동안만 조용히 하세요.

Keep ______ for a few minutes.

4 그들은 나에게 돈을 기부해 달라고 요청했다.

They asked me to ______ money.

5 나는 고아원에서 한 달에 한 번 자원봉사를 한다.

I do ______ work at an orphanage once a month.

D 빈칸에 알맞은 단어를 골라 쓰세요.

help	use	carry	join

1 Why don't you ______ the chess club?

2 Would you ______ me with my homework?

3 May I ______ your phone for a while?

4 I'll help you ______ the box to the room.

DAY 09

사회생활

기쁨과 슬픔 표현

161 **bright**
[brait]

형 1. **밝은, 빛나는** 2. **영리한**

a **bright** student 영리한 학생

Look on the **bright** side of things.
사물의 밝은 면을 보아라.(긍정적으로 생각해라.)

162 **excellent**
[éksələnt]

형 **훌륭한, 탁월한**

be **excellent** at ~에 탁월하다

He is an **excellent** soccer player.
그는 훌륭한 축구 선수다.

163 **delight**
[diláit]

명 **기쁨, 즐거움**

feel **delight** 기뻐하다

I read your e-mail with great **delight**.
나는 너의 이메일을 매우 기쁘게 읽었다.

164 **laugh**
[læf]

동 **웃다**

laugh at ~을 비웃다

I made a joke to make people **laugh**.
나는 사람들을 웃게 하려고 농담을 했다.

165 **brilliant**
[bríljənt]

형 1. **훌륭한, 멋진** 2. **빛나는**

a **brilliant** idea 멋진 생각

She was given a **brilliant** diamond by him.
그녀는 그에게 번쩍번쩍 빛나는 다이아몬드를 받았다.

166 **cry**
[krai]

동 1. **울다** 2. **외치다** 명 1. **울음** 2. **비명**

cry all night 밤새 울다

She gave a loud **cry** and ran away.
그녀는 크게 비명을 지르고 도망가 버렸다.

167 **enjoy**
[indʒɔ́i]

동 **즐기다**

enjoy oneself 마음껏 즐기다

Did you **enjoy** the party last night?
어젯밤 파티는 즐거웠니?

168 **pity**
[píti]

명 1. **동정, 연민** 2. **유감**

feel **pity** for ~을 불쌍히 여기다

It's a **pity** that you can't come to the party.
네가 파티에 올 수 없다니 유감이다.

169 **sadness**
[sǽdnis]

명 **슬픔** **sad** 형 **슬픈**

feel **sadness** 슬픔을 느끼다

She has a lot of **sadness** about her dog's death.
그녀는 개가 죽어서 큰 슬픔에 빠져 있다.

170 **perfect**
[pə́ːrfikt]

형 **완벽한**

perfect for ~에 안성맞춤인

Practice makes **perfect**.
[속담] 연습은 완벽을 만든다.

DAY 09

171 **win**
[win]

win-won-won

동 1. 이기다 2. 획득하다

win a game 게임에서 이기다

She was sad that she didn't win a prize.
그녀는 상을 타지 못해서 슬펐다.

172 **lose**
[lu:z]

lose-lost-lost

동 1. 잃다, 잃어버리다 2. 지다

lose one's way 길을 잃다

He did his best but he lost the race.
최선을 다했지만 그는 경주에서 졌다.

173 **die**
[dai]

동 죽다 **death** 명 죽음

die of cancer 암으로 죽다

I hope he will not die.
나는 그가 죽지 않기를 바란다.

174 **luck**
[lʌk]

명 운, 행운 **lucky** 형 운이 좋은

have bad luck 운이 나쁘다

Good luck to you and have a nice day.
행운을 빌어 그리고 즐거운 하루 보내.

175 **miracle**
[mírəkl]

명 기적

by a miracle 기적적으로

It's a miracle that he wasn't killed.
그가 죽지 않은 것은 기적이다.

176 **lonely**
[lóunli]

형 **외로운, 쓸쓸한**

feel **lonely** 쓸쓸하다, 외롭다

The girl was a very **lonely** child.
그 소녀는 매우 외로운 아이였다.

177 **hopeful**
[hóupfəl]

형 **희망에 찬, 기대하는** **hope** 동 희망하다

a **hopeful** future 유망한 장래

He is **hopeful** about his future.
그는 그의 미래에 대해 희망적이다.

178 **worried**
[wə́ːrid]

형 **걱정하는** **worry** 동 걱정하다

be **worried** about ~에 대해 걱정하다

I'm **worried** about the final exam.
나는 기말고사가 걱정이다.

179 **sorrowful**
[sárəfəl]

형 **슬픈** **sorrow** 명 슬픔

a **sorrowful** expression 슬픈 표정

He has a **sorrowful** expression on his face.
그는 얼굴에 슬픈 표정을 짓고 있다.

180 **ill**
[il]

형 **아픈** **illness** 명 병, 아픔

ill in bed 아파서 누워 있는

He seems to be **ill**.
그는 아픈 것 같다.

DAILY TEST

사회생활

기쁨과 슬픔 표현

A 영어는 우리말로, 우리말은 영어로 바꾸세요.

1 lonely ....

2 excellent ....

3 luck ....

4 cry ....

5 ill ....

6 bright ....

7 laugh ....

8 sorrowful ....

9 brilliant ....

10 delight ....

11 이기다 ....

12 즐기다 ....

13 기적 ....

14 동정, 유감 ....

15 슬픔 ....

16 걱정하는 ....

17 완벽한 ....

18 잃다, 지다 ....

19 죽다 ....

20 희망에 찬 ....

B 주어진 우리말을 참고하여 어구를 완성하세요.

1 외롭다 feel ....

2 ~에 대해 걱정하다 be .... about

3 길을 잃다 .... one's way

4 ~을 비웃다 .... at

5 기적적으로 by a(n) ....

C 우리말에 맞게 빈칸을 채워 문장을 완성하세요.

1 소풍 가기에 완벽한 날씨다.

The weather is ________ for a picnic.

2 그녀는 음악가로서 장래가 밝다.

She has a(n) ________ future as a musician.

3 체스 게임에서 이기는 것은 쉽지 않다.

It is not easy to ________ a chess game.

4 그는 이틀 동안 아파서 누워 있었다.

He was ________ in bed for two days.

5 나는 그 가난한 여인과 그녀의 아들을 불쌍히 여겼다.

I felt ________ for the poor woman and her son.

D 빈칸에 알맞은 단어를 골라 쓰세요. (필요하면 형태를 바꾸세요.)

cry	excellent	enjoy	die

1 ________ yourself at the party.

2 She is ________ at singing and dancing.

3 The baby ________ all night so I couldn't sleep.

4 Many people ________ of cancer these days.

DAY 10

사회생활

만족과 불만족 표현

181 **easy**
[íːzi]

형 **쉬운, 수월한**

an easy exam 쉬운 시험

It's not an easy task.
그건 쉬운 일이 아니다.

182 **exciting**
[iksáitiŋ]

형 **신나는, 흥미진진한**

an exciting soccer game 흥미진진한 축구 경기

Basketball is a fast and exciting sport.
농구는 빠르고 흥미진진한 스포츠다.

183 **interested**
[íntərəstid]

형 **관심 있어 하는, 흥미가 있는** interest 명 관심, 흥미

be interested in ~에 흥미가 있다

He is interested in baseball.
그는 야구에 흥미가 있다.

184 **fresh**
[freʃ]

형 **신선한**

fresh fruit 신선한 과일

Let's go and get some fresh air.
나가서 신선한 공기 좀 마시자.

185 **terrific**
[tərífik]

형 **아주 좋은, 멋진**

a terrific party 아주 멋진 파티

He is a terrific tennis player.
그는 대단한 테니스 선수다.

186 **safe**
[seif]

형 **안전한** 명 **금고**

a **safe** place 안전한 장소

Please place your money in this **safe**.
돈은 이 금고에 보관해 주세요.

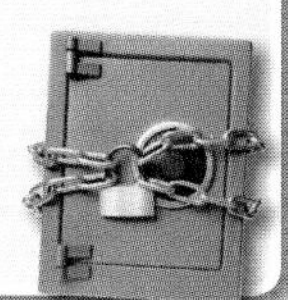

187 **peace**
[piːs]

명 **평화, 평온** **peaceful** 형 평화로운

war and **peace** 전쟁과 평화

He enjoyed the **peace** of the summer evening.
그는 여름날 저녁의 평온함을 즐겼다.

188 **touched**
[tʌtʃt]

형 **감동한** **touch** 동 만지다, 감동시키다

be **touched** by ~에 감동하다

She was **touched** by his surprise gift.
그녀는 그의 깜짝 선물에 감동했다.

189 **difficult**
[dífikʌ̀lt]

형 **어려운, 힘든**

have a **difficult** time 어려움을 겪다, 힘든 시간을 보내다

This problem is too **difficult** for me.
이 문제는 나에게 너무 어렵다.

190 **fair**
[fɛər]

형 1. **공정한, 공평한** 2. **합리적인, 타당한**

a **fair** price 적정한 가격

Teachers should be **fair** to their students.
선생님들은 학생들에게 공평해야 한다.

DAY
10

191 **hate**
[heit]

동 **싫어하다, 미워하다**

hate taking a test 시험 보는 것을 싫어하다

The two girls hated each other.
그 두 소녀는 서로 미워했다.

192 **terrible**
[térəbl]

형 **끔찍한, 심한**

terrible news 끔찍한 소식

My mom had a terrible headache last night.
엄마는 지난밤 극심한 두통이 있으셨다.

193 **upset**
[ʌpsét]

upset-upset-upset

동 **속상하게 만들다** 형 **속상한, 화가 난**

upset oneself 속상해 하다

Mom got upset because I played computer games.
엄마는 내가 컴퓨터 게임을 해서 화가 나셨다.

194 **badly**
[bǽdli]

부 **심하게, 몹시**

be badly hurt 심하게 다치다

He treated his friend very badly.
그는 친구를 아주 심하게 대했다.

195 **disappointed**
[dìsəpɔ́intid]

형 **실망한** **disappoint** 동 실망시키다

be disappointed with ~에 실망하다

Don't be disappointed about such a thing.
그런 일로 실망하지 마라.

196 **boring** [bɔ́:riŋ]

형 지루한 **bore** 동 지루하게 하다

a **boring** book 재미 없는 책

The movie was a little **boring**.
그 영화는 조금 지루했다.

197 **complain** [kəmpléin]

동 불평하다, 항의하다 **complaint** 명 불평, 불만

complain to the manager 매니저에게 항의하다

She **complained** about the bad service.
그녀는 형편 없는 서비스에 대해 불평했다.

198 **pleasant** [plézənt]

형 1. 즐거운 2. 상냥한 **please** 동 기쁘게 하다

a **pleasant** chat 유쾌한 수다

Please try to be **pleasant** to our guests.
손님들에게 상냥하게 대하도록 하세요.

199 **frightened** [fráitənd]

형 겁먹은 **frighten** 동 겁먹게 만들다

a **frightened** child 겁을 먹은 아이

She was **frightened** at a noise from outside.
그녀는 밖에서 나는 소음에 겁을 먹었다.

200 **spoil** [spɔil]

동 망치다, 못쓰게 만들다

spoil the child 아이를 망치다

I don't want to **spoil** our friendship.
나는 우리의 우정을 망치고 싶지 않다.

DAILY TEST DAY 10 사회생활

만족과 불만족 표현

A 영어는 우리말로, 우리말은 영어로 바꾸세요.

1 hate ....

2 easy ....

3 exciting ....

4 touched ....

5 pleasant ....

6 badly ....

7 interested ....

8 upset ....

9 spoil ....

10 terrific ....

11 신선한 ....

12 실망한 ....

13 어려운 ....

14 겁먹은 ....

15 평화 ....

16 불평하다 ....

17 지루한 ....

18 끔찍한 ....

19 안전한, 금고 ....

20 공정한 ....

B 주어진 우리말을 참고하여 어구를 완성하세요.

1 ~에 흥미가 있다 be .... in

2 전쟁과 평화 war and ....

3 ~에 감동하다 be .... by

4 끔찍한 소식 .... news

5 적당한 가격 a(n) .... price

C 우리말에 맞게 빈칸을 채워 문장을 완성하세요.

1 우리는 TV로 흥미진진한 축구 경기를 보았다.

We watched a(n) ______ soccer game on TV.

2 매를 아끼면 아이를 망친다.

Spare the rod and ______ the child.

3 그녀는 시험 결과에 실망했다.

She was ______ with the results of the test.

4 그녀는 건강을 유지하려고 신선한 채소를 먹는다.

She eats ______ vegetables to stay healthy.

5 정말 걱정했는데 그것은 쉬운 시험이었다.

I was really worried but it was a(n) ______ exam.

D 빈칸에 알맞은 단어를 골라 쓰세요.

terrific	badly	hate	difficult

1 Most students ______ taking tests.

2 She was ______ hurt in the accident.

3 I had a ______ time solving the problem.

4 They are having a ______ party at Susan's house.

누적 TEST 2 주차 DAY 06-10

001 complain

002 joke

003 popular

004 ask

005 hate

006 address

007 letter

008 excellent

009 confident

010 borrow

011 pity

012 favor

013 외로운

014 평화

015 잃다, 지다

016 가입하다

017 다른

018 끔찍한

019 울다

020 소개하다

021 운, 행운

022 완벽한

023 쉬운

024 돕다

025 **frightened**

026 **ill**

027 **carry**

028 **pleasant**

029 **worried**

030 **request**

031 **kind**

032 **enjoy**

033 **touched**

034 **bright**

035 **hopeful**

036 **sadness**

037 기적

038 빌려 주다

039 조심하는

040 사용하다

041 실망스러운

042 추천하다

043 기부하다

044 비밀

045 기억하다

046 죽다

047 어려운

048 서로

누적 TEST 2 주차 DAY 06-10

049 delight

050 attention

051 badly

052 angry

053 glad

054 manners

055 laugh

056 friendly

057 interested

058 bring

059 job

060 suggest

061 sorrowful

062 지루한

063 보내다

064 이기다

065 정보

066 싸우다

067 의견

068 함께

069 작별 인사

070 자원봉사자

071 미안한

072 나머지, 휴식

073 이름

074 예의바른

075 fresh

076 bother

077 pleased

078 upset

079 greet

080 comfortable

081 exciting

082 long face

083 exchange

084 terrific

085 let

086 share

087 brilliant

088 살다

089 망치다

090 공정한

091 ~ 사이에

092 과제, 업무

093 같은

094 사랑스러운

095 조용한

096 절하다

097 부르다, 전화하다

098 안전한, 금고

099 일어나다, 발생하다

100 악수하다

DAY 11

사회생활

감사와 사과 표현

201 **grateful** [gréitfəl]

형 **고마워하는, 감사하는**

a grateful letter 감사의 편지

I am really grateful to my teacher.
나는 선생님께 정말 감사하다.

202 **appreciate** [əpríːʃièit]

동 1. **진가를 알아보다** 2. **감사하다**

appreciate her 그녀의 진가를 알아보다

I appreciate your offer to help me.
나를 도와주시겠다는 당신의 제안에 감사드립니다.

203 **health** [helθ]

명 **건강** **healthy** 형 **건강한**

good for one's health 건강에 좋은

I think health is the most important thing.
나는 건강이 가장 중요한 것이라고 생각한다.

204 **serve** [səːrv]

동 **(음식 등을) 제공하다, 차려 내다**

serve healthy food 건강에 좋은 음식을 제공하다

This restaurant serves iced coffee with meals.
이 식당은 식사와 함께 차가운 커피를 제공한다.

205 **gift** [gift]

명 1. **선물** 2. **재능**

a gift shop 선물 가게

She has a great gift for music.
그녀는 음악에 탁월한 재능이 있다.

206 **talent**
[tǽlənt]

명 **재능, 재주**

a **talent** for art 미술에 대한 재능

She has a **talent** for golf.
그녀는 골프에 재능이 있다.

207 **mention**
[ménʃən]

동 **말하다, 언급하다**

don't **mention** it (고맙다는 말에 대한 인사로) 별 말씀을요

The police officer **mentioned** his name.
그 경찰관은 그의 이름을 언급했다.

208 **apologize**
[əpɑ́lədʒàiz]

동 **사과하다** **apology** 명 사과

apologize to him for being late 그에게 늦은 것에 대해 사과하다

I **apologized** to her for the mistake.
나는 그 실수에 대해 그녀에게 사과했다.

209 **excuse**
[ikskjúːs]

명 **변명** 동 [ikskjúːz] **용서하다**

make an **excuse** 변명하다

Please **excuse** me for being careless.
제 부주의를 용서해 주세요.

210 **diligent**
[dílidʒənt]

형 **근면한, 성실한**

a **diligent** student 성실한 학생

My parents want me to be **diligent** in my studies.
우리 부모님은 내가 학업에 충실하길 원하신다.

DAY
11

211 **pretty**
[príti]

형 예쁜 부 아주, 꽤

a pretty little girl 예쁜 어린 소녀

Your English is pretty good.
너의 영어 실력은 꽤 좋다.

212 **kindness**
[káindnis]

명 친절 kind 형 친절한

have the kindness to help 친절하게 도와주다

I really appreciate your kindness.
친절하게 대해주셔서 정말 감사합니다.

213 **forget**
[fərgét]

forget-forgot-forgotten

동 잊다

forget one's kindness ~의 친절함을 잊다

Don't forget that I'm always by you.
네 곁에 늘 내가 있다는 걸 잊지 마라.

214 **thank**
[θæŋk]

동 감사하다, 고마워하다

thank A for B A에게 B에 대해 감사하다

Thank you for your help with this matter.
이 문제에 대한 당신의 도움에 감사합니다.

215 **late**
[leit]

형 늦은, 지각한

be late for ~에 늦다

She is late for school every day.
그녀는 매일 학교에 늦는다.

216 **brave**
[breiv]

형 **용감한** **bravery** 명 용기

a **brave** hero 용감한 영웅

What a **brave** boy he is!
그는 얼마나 용감한 소년인가!

217 **amazing**
[əméiziŋ]

형 **놀라운** **amaze** 동 놀라게 하다

an **amazing** story 놀라운 이야기

Look at the **amazing** sight.
놀라운 광경을 봐.

218 **beautiful**
[bjú:tifəl]

형 **아름다운**

a **beautiful** woman 아름다운 여인

She thanks god for her **beautiful** voice.
그녀는 자신의 아름다운 목소리에 대해 신께 감사한다.

219 **tease**
[ti:z]

동 **놀리다**

tease about ~에 대해 놀리다

Don't **tease** me like this.
이런 식으로 나를 놀리지 마라.

220 **tell a lie**

거짓말하다

My brother **told a lie** about me.
나의 오빠는 나에 대해 거짓말했다.

DAILY TEST

DAY 11

사회생활

감사와 사과 표현

A 영어는 우리말로, 우리말은 영어로 바꾸세요.

1 serve ....
2 gift ....
3 grateful ....
4 beautiful ....
5 amazing ....
6 talent ....
7 mention ....
8 thank ....
9 pretty ....
10 appreciate ....
11 친절 ....
12 용감한 ....
13 늦은, 지각한 ....
14 사과하다 ....
15 근면한, 성실한 ....
16 건강 ....
17 잊다 ....
18 변명, 용서하다 ....
19 놀리다 ....
20 거짓말하다 ....

B 주어진 우리말을 참고하여 어구를 완성하세요.

1 놀라운 이야기 a(n) .... story
2 성실한 학생 a(n) .... student
3 A에게 B에 대해 감사하다 .... A for B
4 ~에 늦다 be .... for
5 ~의 친절함을 잊다 .... one's kindness

C 우리말에 맞게 빈칸을 채워 문장을 완성하세요.

1 채소를 먹는 것은 건강에 좋다.

Eating vegetables is good for your ______.

2 이 자전거는 엄마가 주신 선물이다.

This bicycle is a ______ from my mom.

3 그는 친절하게도 나의 숙제를 도와주었다.

He had the ______ to help with my homework.

4 그의 몸무게로 그를 놀리지 마라.

Don't ______ him about his weight.

5 나는 용감한 영웅을 만나고 싶다.

I want to meet a(n) ______ hero.

D 빈칸에 알맞은 단어를 골라 쓰세요.

grateful	excuse	talent	serve

1 The little kid has a(n) ______ for music.

2 I am ______ to you for your kindness.

3 He is making a(n) ______ for his mistake.

4 These fast food restaurants don't ______ healthy food.

DAY 12

가정생활

가족 관계/가족 행사

221 **parents**
[pέ(ː)ərəntz]

명 **부모**

the duty of **parents** 부모의 의무

I felt unloved by my **parents**.
나는 부모님께 사랑을 받지 못한다고 느꼈다.

222 **ancestor**
[ǽnsestər]

명 **조상, 선조**

be **ancestor** to ~의 조상이다

We visit our **ancestors'** graves on Chuseok.
우리는 추석에 성묘한다.

223 **birth**
[bəːrθ]

명 **탄생, 출산**

give **birth** to 출산하다

The baby weighed 3.5kg at **birth**.
그 아기는 태어났을 때 몸무게가 3.5킬로그램이었다.

224 **invite**
[inváit]

동 **초대하다**

invite A to one's house A를 ~의 집에 초대하다

We will **invite** our friends to the party.
우리는 친구들을 파티에 초대할 것이다.

225 **grow**
[grou]

grow-grew-grown

동 1. **자라다** 2. **재배하다** **growth** 명 성장

grow up 성장하다

This plant is easy to **grow**.
이 식물은 재배하기 쉽다.

226 **role**
[roul]

명 **역할**

a **role** model 역할 모델

They are talking about the **role** of parents.
그들은 부모의 역할에 대해 이야기하고 있다.

227 **care**
[kɛər]

명 1. **돌봄, 보살핌** 2. **조심, 주의** 동 **상관하다**

take **care** of ~을 돌보다
drive with **care** 조심해서 운전하다

I don't **care** what you say.
난 네가 뭐라 해도 상관없어.

228 **grandparents**
[grǽndpɛ̀ərəntz]

명 **조부모**

live with one's **grandparents** 조부모와 함께 살다

I visit my **grandparents** once a week.
나는 일주일에 한 번 나의 조부모님을 찾아 뵙는다.

229 **child**
[tʃaild]

명 1. **아이, 어린이** 2. **자식**

a five-year-old **child** 다섯 살짜리 아이

She is an only **child**.
그녀는 외동이다.

230 **punish**
[pʌ́niʃ]

동 **처벌하다, 벌주다**

punish one's kid 자녀를 벌주다

He was bad, so his mother **punished** him.
그가 나쁜 행동을 해서 어머니에게 혼났다.

DAY
12

231 **daughter**
[dɔ́ːtər]

명 **딸**

an only **daughter** 외동딸

My wife and I have a 9-year-old **daughter**.
우리 부부에게는 9살 난 딸이 하나 있다.

232 **support**
[səpɔ́ːrt]

동 1. **지지하다** 2. **부양하다**

support one's proposal ~의 제안을 지지하다

He works hard to **support** his family.
그는 가족을 부양하기 위해 열심히 일한다.

233 **elderly**
[éldərli]

형 **연세가 드신**

an **elderly** couple 노부부

We have to care for our **elderly** parents.
나이 드신 부모님을 잘 보살펴드려야 한다.

234 **grandchild**
[grǽndtʃàild]

명 **손주**

love one's **grandchild** 손주를 사랑하다

She wants to see her first **grandchild**.
그녀는 첫 손주를 보기를 원한다.

235 **alike**
[əláik]

형 **비슷한** 부 **비슷하게, 똑같이**

look **alike** 비슷해 보이다

Let's share **alike** with this bread.
이 빵을 똑같이 나누자.

236 **guest**
[gest]

명 **손님**

the **guest** list 손님 명단

We are waiting for the **guests**.
우리는 손님들을 기다리는 중이다.

237 **birthday**
[bə́ːrθdèi]

명 **생일**

a surprise **birthday** party 깜짝 생일 파티

My **birthday** falls on Sunday this year.
올해에는 내 생일이 일요일이다.

238 **relative**
[rélətiv]

형 **~와 관련된** 명 **친척** **relate** 동 관련시키다

relative to the accident 그 사고와 관련된

My close **relative** is living next door.
나의 가까운 친척이 옆집에 살고 있다.

239 **allowance**
[əláuəns]

명 **용돈**

get an **allowance** 용돈을 받다

I give my daughter a weekly **allowance**.
나는 딸에게 일주일마다 용돈을 준다.

240 **housework**
[háuswə̀ːrk]

명 **가사, 집안일**

do **housework** 집안일을 하다

Dad always helps out with the **housework**.
아빠는 항상 집안일을 돕는다.

DAILY TEST DAY 12 가정생활

가족 관계/가족 행사

A 영어는 우리말로, 우리말은 영어로 바꾸세요.

1 punish		11 조상	
2 parents		12 집안일	
3 support		13 손주	
4 grow		14 딸	
5 alike		15 조부모	
6 relative		16 생일	
7 elderly		17 손님	
8 care		18 역할	
9 child		19 초대하다	
10 birth		20 용돈	

B 주어진 우리말을 참고하여 어구를 완성하세요.

1 부모의 의무 — the duty of ....

2 역할 모델 — a(n) .... model

3 ~을 돌보다 — take .... of

4 ~의 제안을 지지하다 — .... one's proposal

5 손님 명단 — the .... list

C 우리말에 맞게 빈칸을 채워 문장을 완성하세요.

1 그 노부인은 그녀의 손주들을 사랑한다.

The old woman loves her ____________.

2 나의 아내는 다음 달에 출산할 것이다.

My wife will give ____________ next month.

3 노부부가 산책하고 있었다.

A(n) ____________ couple was taking a walk.

4 그는 매일 집안일을 한다.

He does ____________ every day.

5 나는 부모님으로부터 용돈을 받는다.

I get a(n) ____________ from my parents.

D 빈칸에 알맞은 단어를 골라 쓰세요. (필요하면 형태를 바꾸세요.)

alike	punish	grow	birthday

1 They ____________ their kid because he told a lie.

2 Let's have a surprise ____________ party for Mom.

3 When I ____________ up, I want to be a pilot.

4 My elder brother and I look ____________.

DAY
13

가정생활

가족 관계/가족 행사

241 **member**
[mémbər]

명 1. **구성원** 2. **회원**

a member of one's family 가족 구성원

I am a member of a badminton club.
나는 배드민턴 동아리 회원이다.

242 **twin**
[twin]

명 **쌍둥이** 형 **쌍둥이의**

boy and girl twins 남녀 쌍둥이

He has a twin brother.
그는 쌍둥이 형이 있다.

243 **husband**
[hʌ́zbənd]

명 **남편**

husband and wife 부부

He is an ideal husband.
그는 이상적인 남편이다.

244 **aunt**
[ænt]

명 **고모, 이모**

stay with one's aunt 고모(이모) 댁에서 기거하다

My aunt is a very nice lady.
우리 이모는 아주 친절한 분이다.

245 **nephew**
[néfjuː]

명 **남자 조카**

take care of one's nephew 조카를 돌보다

I must take care of my nephew this afternoon.
나는 오늘 오후에 조카를 돌봐야 한다.

246 **niece**
[niːs]

명 **여자 조카**

a gift for one's **niece** 조카를 위한 선물

I'll buy my **niece** a doll for her birthday.
나는 조카의 생일에 인형을 사줄 것이다.

247 **uncle**
[ʌ́ŋkl]

명 **삼촌**

visit one's **uncle** 삼촌 댁을 방문하다

He was named after his **uncle**.
그의 이름은 삼촌의 이름을 따서 지은 것이다.

248 **cousin**
[kʌ́zən]

명 **사촌**

play with one's **cousin** 사촌과 놀다

I played baseball with my **cousins**.
나는 사촌들과 야구를 했다.

249 **adult**
[ədʌ́lt]

명 **성인, 어른** 형 **성인의, 성숙한**

become an **adult** 어른이 되다

I'll take two **adult** tickets, please.
성인 표 두 장 주세요.

250 **similar**
[símələr]

형 **비슷한, 닮은**

similar to her mother 그녀의 엄마와 닮은

The brothers look very **similar**.
그 형제는 생김새가 아주 비슷하다.

DAY

13

251 **character**
[kǽriktər]

명 1. **성격, 특징** 2. **등장인물**

a cartoon **character** 만화 등장인물

The sisters are alike in **character**.
그 자매는 성격이 아주 비슷하다.

252 **marry**
[mǽri]

동 **~와 결혼하다** **marriage** 명 결혼

marry her for love 그녀와 연애 결혼하다

I asked her to **marry** me this year.
나는 그녀에게 올해 결혼해 달라고 했다.

253 **wedding**
[wédiŋ]

명 **결혼**

a **wedding** ceremony 결혼식

This ring was a **wedding** gift from my husband.
이 반지는 남편이 준 예물이었다.

254 **anniversary**
[æ̀nəvə́ːrsəri]

명 **기념일**

one's wedding **anniversary** 결혼 기념일

Today is the first **anniversary** of my nephew.
오늘은 조카의 첫 돌이다.

255 **family**
[fǽməli]

명 **가족**

a large **family** 대가족

I have a small **family** of four.
우리 집은 단출한 네 식구다.

256 resemble [rizémbl]

동 **닮다, 비슷하다**

resemble each other 서로 비슷하다

Who do you **resemble** more, your mom or dad?
엄마와 아빠 중 누구를 더 닮았니?

257 celebrate [séləbrèit]

동 **기념하다, 축하하다**

celebrate one's birthday 생일을 축하하다

How does your family **celebrate** Christmas?
너희 가족은 크리스마스를 어떻게 기념하니?

258 host [houst]

명 1. **주인, 주최자** 2. **진행자** 동 **주최하다**

the **host** of the party 파티의 주최자

Which country will **host** the next Olympics?
다음 올림픽은 어느 나라에서 주최할 것인가?

259 couple [kʌ́pl]

명 1. **두 사람(개)** 2. **커플, 부부**

a **couple** of days 이틀 정도

There are many working **couples** in this city.
이 도시에는 맞벌이 부부들이 많다.

260 single [síŋgl]

형 1. **단 하나의** 2. **독신의**

a **single** word 한 마디 말

My uncle is a 35-year-old **single** man.
우리 삼촌은 35세의 독신 남성이다.

DAILY TEST DAY 13 가정생활

가족 관계/가족 행사

A 영어는 우리말로, 우리말은 영어로 바꾸세요.

1 character ....

2 similar ....

3 aunt ....

4 marry ....

5 member ....

6 single ....

7 couple ....

8 resemble ....

9 wedding ....

10 celebrate ....

11 남편 ....

12 주인, 진행자 ....

13 사촌 ....

14 가족 ....

15 삼촌 ....

16 쌍둥이 ....

17 기념일 ....

18 여자 조카 ....

19 성인, 어른 ....

20 남자 조카 ....

B 주어진 우리말을 참고하여 어구를 완성하세요.

1 부부 .... and wife

2 만화 등장인물 a cartoon ....

3 결혼식 a(n) .... ceremony

4 대가족 a large ....

5 이틀 정도 a(n) .... of days

C 우리말에 맞게 빈칸을 채워 문장을 완성하세요.

1 나의 오빠가 파티의 주최자이다.

My brother is the ________ of the party.

2 우리는 언니의 생일을 축하했다.

We ________ our sister's birthday.

3 이모는 작년에 남녀 쌍둥이를 낳았다.

My aunt had boy and girl ________ last year.

4 그녀는 우리 가족 구성원 중 하나가 될 것이다.

She will be one of the ________ of my family.

5 나의 삼촌은 그녀와 연애 결혼했다.

My uncle ________ her for love.

D 빈칸에 알맞은 단어를 골라 쓰세요.

cousin	anniversary	adult	similar

1 She is ________ to her mother.

2 Today is my parents' wedding ________.

3 I want to become a(n) ________ soon.

4 He loves to play with his ________.

DAY 14

가정생활

옷

261 **clothes** [klouðz]

명 **옷, 의복**

children's clothes 아동복

She was wearing nice clothes.
그녀는 멋진 옷을 입고 있었다.

262 **wear** [wɛər]

wear-wore-worn

동 **입고 있다, 착용하고 있다**

wear a coat 코트를 입고 있다

I don't want to wear uniforms.
나는 교복을 입고 싶지 않다.

263 **cap** [kæp]

명 **모자**

a baseball cap 야구 모자

My brother is wearing a cap.
내 남동생은 모자를 쓰고 있다.

264 **sweater** [swétər]

명 **스웨터**

a warm sweater 따뜻한 스웨터

Who is the girl in the red sweater?
빨간 스웨터를 입은 그 소녀는 누구니?

265 **boot** [buːt]

명 **목이 긴 신발, 부츠**

knee-high boots 무릎까지 오는 부츠

These ski boots are a little small for me.
이 스키 부츠가 나에게 좀 작다.

266 **shine**
[ʃain]

동 1. **빛나다** 2. **광을 내다**

shine brightly 밝게 빛나다

He **shines** his father's shoes every morning.
그는 매일 아침 아빠의 구두에 광을 낸다.

267 **sneakers**
[sníːkərs]

명 **운동화**

old **sneakers** 낡은 운동화

He wore blue jeans and **sneakers**.
그는 청바지에 운동화를 신고 있었다.

268 **dress**
[dres]

명 **드레스, 원피스** 동 **옷을 입다**

a wedding **dress** 웨딩 드레스

I always **dress** in black.
나는 언제나 검은색으로 옷을 입는다.

269 **skirt**
[skəːrt]

명 **치마**

a checkered **skirt** 체크무늬 치마

Can I try this **skirt** on?
이 치마 입어 봐도 되나요?

270 **belt**
[belt]

명 **허리띠, 벨트** 동 **벨트를 매다**

seat **belt** 안전 벨트

This coat is **belted** at the waist.
이 외투는 허리에 벨트를 매게 되어 있다.

DAY 14

271 **shorts**
[ʃɔːrtz]

명 **반바지**

in **shorts** 반바지 차림으로

He was wearing a T-shirt and **shorts**.
그는 티셔츠와 반바지를 입고 있었다.

272 **tie**
[tai]

동 **묶다** 명 **넥타이**

tie back one's hair 머리를 뒤로 묶다

The actor is wearing a **tie**.
그 배우는 넥타이를 매고 있다.

273 **jacket**
[dʒǽkit]

명 **재킷, 상의**

zip up one's **jacket** 재킷의 지퍼를 올리다

This **jacket** looks great on you.
이 재킷은 너에게 정말 잘 어울린다.

274 **pants**
[pænts]

명 **바지**

long **pants** 긴 바지

These **pants** look too short for you.
이 바지는 네게 너무 짧아 보인다.

275 **gloves**
[glʌvz]

명 **장갑, 글러브**

rubber **gloves** 고무 장갑

I have bats and baseball **gloves**.
나는 배트와 야구 글러브를 갖고 있다.

276 tight [tait]

형 **꽉 끼는**

too **tight** for me 나에게 너무 꽉 끼는

These shoes are a little **tight** for me.
이 신발은 나에게 조금 꽉 낀다.

277 loose [lu:s]

형 **헐렁한**

a **loose** tooth (빠질 것처럼) 흔들리는 치아

Her father's clothes were too **loose** on her.
그녀의 아버지의 옷은 그녀에게 너무 헐렁했다.

278 pocket [pákit]

명 **주머니**

pocket money 용돈, 푼돈

He has his hands in his **pockets**.
그는 주머니에 손을 넣고 있다.

279 size [saiz]

명 **크기, 치수**

shapes and **sizes** 모양과 크기

Do you have a smaller **size**?
더 작은 치수가 있나요?

280 put on

~을 입다

The man is **putting on** a jacket.
그 남자는 재킷을 입고 있다.

DAILY TEST DAY 14 가정생활

옷

A 영어는 우리말로, 우리말은 영어로 바꾸세요.

1	wear	....	11	운동화	....
2	jacket	....	12	허리띠	....
3	shine	....	13	장갑	....
4	pants	....	14	주머니	....
5	tie	....	15	스웨터	....
6	clothes	....	16	치마	....
7	dress	....	17	목이 긴 신발	....
8	cap	....	18	반바지	....
9	tight	....	19	헐렁한	....
10	put on	....	20	크기, 치수	....

B 주어진 우리말을 참고하여 어구를 완성하세요.

1 아동복 — children's ....

2 밝게 빛나다 — .... brightly

3 용돈 — .... money

4 나에게 너무 꽉 끼는 — too .... for me

5 모양과 크기 — shapes and ....

C 우리말에 맞게 빈칸을 채워 문장을 완성하세요.

1 저것은 내가 가장 좋아하는 야구 모자이다.

That is my favorite baseball ______________.

2 나의 형은 긴 바지 입는 것을 좋아한다.

My brother likes to put on long ______________.

3 나는 어제 무릎까지 오는 부츠를 샀다.

I bought knee-high ______________ yesterday.

4 그 체크무늬 치마는 매우 비싸다.

The checkered ______________ is very expensive.

5 그녀는 낡은 운동화를 버렸다.

She threw away her old ______________.

D 빈칸에 알맞은 단어를 골라 쓰세요.

wear	shorts	belt	gloves

1 You can't enter the temple in ______________.

2 My pants are too big, so I wear a ______________.

3 You must ______________ a cardigan because it's cold outside.

4 My mom uses these rubber ______________ when she does dishes.

DAY 15

가정생활

음식

281 **meal**
[miːl]

명 **식사, 끼니**

skip a **meal** 식사를 거르다

Our **meal** is ready, so let's eat.
식사 준비 다 됐으니 먹읍시다.

282 **breakfast**
[brékfəst]

명 **아침 식사**

have a good **breakfast** 충분한 아침 식사를 하다

My father eats cereal for **breakfast**.
우리 아버지는 아침 식사로 시리얼을 드신다.

283 **noodle**
[núːdl]

명 **국수**

chicken **noodle** soup 국수를 넣은 닭고기 수프

We ate **noodles** for lunch.
우리는 점심으로 국수를 먹었다.

284 **snack**
[snæk]

명 **간식, 간단한 식사**

have a **snack** 간식을 먹다

We will serve a light **snack** before dinner.
우리는 저녁 식사 전에 가벼운 간식을 제공할 것이다.

285 **meat**
[miːt]

명 **고기, 육류**

turn the **meat** over 고기를 뒤집다

Which do you prefer, **meat** or fish?
육류와 생선 중 어떤 것을 더 좋아하니?

286 **pork**
[pɔːrk]

명 **돼지고기**

pork cutlet 돈가스

I like **pork** better than beef.
나는 쇠고기보다 돼지고기를 더 좋아한다.

287 **vegetable**
[védʒitəbl]

명 **채소**

vegetable soup 야채 수프

This **vegetable** is not fresh.
이 채소는 신선하지 않다.

288 **taste**
[teist]

명 **맛** 동 **맛이 나다**

sense of **taste** 미각

The pizza and the spaghetti **taste** good.
이 피자와 스파게티는 맛이 좋다.

289 **delicious**
[dilíʃəs]

형 **맛있는**

a **delicious** smell 맛있는 냄새

That was a very **delicious** meal.
정말 맛있는 식사였다.

290 **pepper**
[pépər]

명 1. **후추** 2. **고추, 피망**

put some **pepper** in the stew 찌개에 후추를 넣다

My tongue burns from the red **peppers**.
고추를 먹었더니 혀가 얼얼하다.

DAY 15

291 bitter
[bítər]

형 1. 맛이 쓴 2. 쓰라린

bitter tears 쓰라린 눈물

The medicine has a bitter taste.
약은 쓴맛이 난다.

292 spicy
[spáisi]

형 매운

spicy food 매운 음식

Spicy food is not good for your health.
매운 음식은 건강에 좋지 않다.

293 salty
[sɔ́:lti]

형 짠, 짭짤한

salty food 짠 음식

This mushroom soup tastes salty.
이 버섯 수프는 짠맛이 난다.

294 sour
[sauər]

형 맛이 신, 시큼한

sour apples 맛이 신 사과

These lemons taste sour.
이 레몬은 신맛이 난다.

295 sweet
[swi:t]

형 달콤한 명 단 것, 사탕

a sweet cake 달콤한 케이크

Don't eat too many sweets.
사탕을 너무 많이 먹지 마라.

296 dessert [dizə́ːrt]

명 **디저트, 후식**

for **dessert** 후식으로

I don't have room for **dessert**.
배가 불러서 디저트를 먹을 수가 없다.

297 set [set]

set-set-set

명 1. **놓다** 2. **차리다**

set down 내려놓다

She is **setting** the table for her daughter.
그녀는 딸을 위해 상을 차리고 있다.

298 sugar [ʃúgər]

명 **설탕**

sugar cubes 각설탕

Do you use **sugar** in your coffee?
커피에 설탕을 넣나요?

299 flavor [fléivər]

명 **맛, 풍미**

a sweet **flavor** 단맛

There are many different **flavors** of ice cream.
다양한 맛의 아이스크림이 있다.

300 flour [fláuər]

명 **가루, 밀가루**

rice **flour** 쌀가루

If the dough is too wet, add more **flour**.
만약 반죽이 너무 질다면 밀가루를 더 넣어라.

DAILY TEST DAY 15 가정생활

음식

A 영어는 우리말로, 우리말은 영어로 바꾸세요.

1 bitter ....

2 delicious ....

3 salty ....

4 meal ....

5 snack ....

6 taste ....

7 sweet ....

8 flavor ....

9 meat ....

10 spicy ....

11 아침 식사 ....

12 후추, 고추 ....

13 채소 ....

14 설탕 ....

15 놓다, 차리다 ....

16 맛이 신 ....

17 후식 ....

18 밀가루 ....

19 국수 ....

20 돼지고기 ....

B 주어진 우리말을 참고하여 어구를 완성하세요.

1 매운 음식 .... food

2 쌀가루 rice ....

3 간식을 먹다 have a(n) ....

4 돈가스 .... cutlet

5 충분한 아침 식사를 하다 have a good ....

C 우리말에 맞게 빈칸을 채워 문장을 완성하세요.

1 식사를 거르지 마라.

Don't skip ______.

2 맛있는 냄새가 부엌에서 난다.

A(n) ______ smell is coming from the kitchen.

3 그녀는 스테이크에 후추를 뿌렸다.

She put some ______ on her steak.

4 그는 밥뿐만 아니라 국수도 먹는다.

He eats ______ as well as rice.

5 나는 닭고기 수프보다 채소 수프를 더 좋아한다.

I prefer ______ soup to chicken soup.

D 빈칸에 알맞은 단어를 골라 쓰세요.

meat	taste	dessert	sour

1 Sugar has a sweet ______.

2 This lemon doesn't taste ______ at all.

3 Turkey ______ is used as food at Christmas.

4 We had some cookies and coffee for ______.

누적 TEST 3주차 DAY 11-15

001 **cousin**

002 **meat**

003 **beautiful**

004 **celebrate**

005 **ancestor**

006 **delicious**

007 **mention**

008 **amazing**

009 **support**

010 **host**

011 **grateful**

012 **taste**

013 탄생

014 닮다

015 자라다

016 주머니

017 밀가루

018 남편

019 맛이 쓴

020 집안일

021 재능

022 가족

023 헐렁한

024 여자 조카

025 **child**

026 **meal**

027 **wedding**

028 **uncle**

029 **thank**

030 **flavor**

031 **set**

032 **serve**

033 **sweet**

034 **alike**

035 **boot**

036 **pretty**

037 맛이 짠

038 반바지

039 설탕

040 기념일

041 스웨터

042 꽉 끼는

043 부모

044 역할

045 초대하다

046 치마

047 매운

048 잊다

049 **dress**

050 **couple**

051 **relative**

052 **pepper**

053 **guest**

054 **single**

055 **elderly**

056 **grandchild**

057 **cap**

058 **member**

059 **clothes**

060 **care**

061 **put on**

062 쌍둥이

063 용돈

064 바지

065 딸

066 놀리다

067 빛나다

068 채소

069 운동화

070 아침 식사

071 거짓말하다

072 건강

073 묶다

074 생일

075 **character**

076 **belt**

077 **appreciate**

078 **wear**

079 **gift**

080 **snack**

081 **pork**

082 **similar**

083 **sour**

084 **nephew**

085 **kindness**

086 **diligent**

087 **aunt**

088 장갑

089 국수

090 ~와 결혼하다

091 벌주다

092 크기, 치수

093 변명, 용서하다

094 조부모

095 용감한

096 후식

097 어른

098 재킷, 상의

099 늦은, 지각한

100 사과하다

DAY 16

가정생활

요리

301 **wash**
[wɑʃ]

동 **씻다**

wash the dishes 설거지하다

Wash all vegetables in cold water.
차가운 물에 채소를 모두 씻어라.

302 **pot**
[pɑt]

명 **냄비, 항아리**

in a large **pot** 커다란 냄비에

I put water in a **pot** on the stove.
나는 난로 위에 있는 냄비에 물을 넣었다.

303 **knife**
[naif]

명 **칼**

a bread **knife** 빵칼

He cut the pear in half with a **knife**.
그는 칼을 사용하여 배를 반으로 잘랐다.

304 **bowl**
[boul]

명 **(우묵한) 그릇, 사발**

a **bowl** of soup 수프 한 그릇

Put strawberries in a **bowl** and pour milk.
딸기를 그릇 안에 넣고 우유를 부으세요.

305 **burn**
[bəːrn]

burn-burnt-burnt

동 **태우다, 타다**

burn out 다 타다

Be careful not to let the food **burn**.
그 음식이 타지 않게 조심해라.

306 **plate**
[pleit]

명 **접시, 그릇**

put food on the **plate** 접시에 음식을 담다

She is putting food on her **plate**.
그녀는 자신의 접시에 음식을 담고 있다.

307 **recipe**
[résəpìː]

명 **요리법**

a **recipe** book 요리책

I am looking for a soup **recipe**.
나는 수프 요리법을 찾고 있다.

308 **peel**
[piːl]

동 **껍질을 벗기다**

peel a banana 바나나 껍질을 벗기다

Peel oranges and lemons.
오렌지와 레몬의 껍질을 벗겨라.

309 **chopsticks**
[tʃάpstiks]

명 **젓가락**

with **chopsticks** 젓가락으로

Set the spoons and **chopsticks** on the table.
상에 수저를 놓아라.

310 **break**
[breik]

break–broke–broken

동 **깨다, 부수다** 명 **휴식 (시간)**

break an egg 달걀을 깨다

Let's take a **break** for 10 minutes.
십 분간 쉬었다 하자.

DAY 16

311 **heat** [hiːt]

명 열, 불 동 뜨겁게 하다

heat of the sun 햇살의 열기

Heat a frying pan and add some oil.
프라이팬을 가열하고 기름을 두르세요.

312 **chop** [tʃɑp]

동 썰다

chop into small pieces 작은 조각으로 썰다

Mom is using a knife to chop a cabbage.
엄마는 칼로 양배추를 썰고 있다.

313 **add** [æd]

동 첨가하다, 추가하다

add sugar 설탕을 첨가하다

Please add more milk to my coffee.
제 커피에 우유를 좀 더 추가해 주세요.

314 **mix** [miks]

동 섞다, 혼합하다

mix milk with flour 우유와 밀가루를 섞다

Mix well and add milk and eggs.
잘 섞고 우유와 달걀을 넣어라.

315 **pour** [pɔːr]

동 붓다, 따르다

pour water into a bowl 물을 그릇에 붓다

Pour the sauce over the pasta.
파스타 위에 그 소스를 부어라.

316 **stir**
[stəːr]

동 **젓다, 저어가며 섞다**

stir for 10 minutes 10분 동안 젓다

He added sugar to his coffee and **stirred** it.
그는 커피에 설탕을 넣고 그것을 저었다.

317 **boil**
[bɔil]

동 1. **끓다, 끓이다** 2. **삶다**

boil water 물을 끓이다

It takes about 15 minutes to **boil** eggs.
달걀을 삶는데 15분 정도 걸린다.

318 **bake**
[beik]

동 **굽다**

bake bread 빵을 굽다

My mom is **baking** some cookies for me.
엄마는 나를 위해 쿠키를 굽고 계신다.

319 **cook**
[kuk]

동 **요리하다** 명 **요리사**

cook one's dinner 저녁 식사를 요리하다

I want to be a **cook**.
나는 요리사가 되고 싶다.

320 **kettle**
[kétl]

명 **주전자**

an electric **kettle** 전기 주전자

Did you put the **kettle** on the stove?
난로 위에 주전자를 올려 놓았니?

DAILY TEST DAY 16 가정생활 요리

A 영어는 우리말로, 우리말은 영어로 바꾸세요.

1 bowl ______
2 pot ______
3 boil ______
4 burn ______
5 add ______
6 wash ______
7 pour ______
8 knife ______
9 break ______
10 mix ______
11 젓가락 ______
12 요리하다 ______
13 접시 ______
14 요리법 ______
15 젓다 ______
16 껍질을 벗기다 ______
17 주전자 ______
18 굽다 ______
19 썰다 ______
20 열, 불 ______

B 주어진 우리말을 참고하여 어구를 완성하세요.

1 전기 주전자 an electric ______
2 설거지하다 ______ the dishes
3 요리책 a(n) ______ book
4 빵칼 a bread ______
5 수프 한 그릇 a(n) ______ of soup

C 우리말에 맞게 빈칸을 채워 문장을 완성하세요.

1 그 남자는 접시에 음식을 조금 담았다.

The man put some food on the ______.

2 설탕을 조금 추가하고 약한 불에 요리하세요.

Add some sugar and cook over low ______.

3 버터를 조금 추가한 후 10분 동안 저으세요.

Add some butter and ______ for 10 minutes.

4 그릇에 달걀 두 개를 깨세요.

______ two eggs into the bowl.

5 5분간 국수를 삶아야 한다.

You should ______ the noodles for 5 minutes.

D 빈칸에 알맞은 단어를 골라 쓰세요. (필요하면 형태를 바꾸세요.)

burn	mix	chop	peel

1 Turn the meat over, so it doesn't ______.

2 She ______ a banana and cut it in half.

3 ______ milk with flour in the bowl.

4 Wash the carrot and ______ it into small pieces.

DAY 17

가정생활

집

321 **floor** [flɔːr]

명 1. **바닥** 2. **층**

sit on the floor 바닥에 앉다

My room is on the second floor.
내 방은 2층에 있다.

322 **kitchen** [kítʃin]

명 **부엌, 주방**

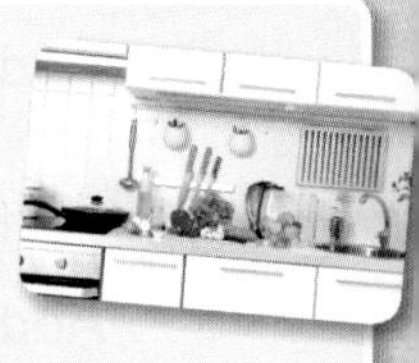

kitchen sink 부엌 개수대

My mom is cooking in the kitchen.
우리 엄마는 부엌에서 요리를 하고 계신다.

323 **light** [lait]

명 1. **빛** 2. **전등** 형 **가벼운**

bright light 밝은 빛
turn off the light 전등을 끄다

This box is light.
이 상자는 가볍다.

324 **garden** [gáːrdən]

명 **정원**

water a garden 정원에 물을 주다

Dad is planting a tree in the garden.
아빠는 정원에 나무를 심고 있다.

325 **repair** [ripέər]

동 **수리하다** 명 **수리, 수선**

be in need of repair 수리가 필요하다

They repaired the broken car.
그들은 고장 난 차를 수리했다.

326 **inside**
[insáid]

전 ~의 안에 명 안쪽, 내부

go **inside** the house 집 안으로 들어가다

The door was locked from the **inside**.
문은 안쪽에서 잠겨 있었다.

327 **attic**
[ǽtik]

명 다락방

a dusty **attic** 먼지 쌓인 다락방

We had fun in the **attic**.
우리는 다락방에서 재미있게 놀았다.

328 **upstairs**
[ʌ̀pstέərz]

부 위층으로, 위층에

go **upstairs** 위층으로 가다

The bedrooms are **upstairs**.
침실은 위층에 있다.

329 **stair**
[stεər]

명 계단

walk up the **stairs** 계단으로 걸어 올라가다

My brother is running up the **stairs**.
나의 남동생은 계단을 달려 올라가고 있다.

330 **basement**
[béismənt]

명 지하층, 지하실

the second **basement** 지하 2층

She keeps the potatoes in the **basement**.
그녀는 감자를 지하실에 보관한다.

331 **window**
[wíndou]

명 **창문**

open the window 창문을 열다

Come here and look out of the window.
이리 와서 창 밖을 봐라.

332 **outside**
[àutsáid]

명 **바깥쪽** 부 **밖에서**

the outside of the house 집의 외벽

We can't stay outside because it is very cold.
너무 추워서 우리는 밖에 머물 수가 없다.

333 **roof**
[ru(:)f]

명 **지붕**

on the roof 지붕 위에

He fixed the roof of my house.
그는 우리 집 지붕을 고쳤다.

334 **gate**
[geit]

명 1. **대문, 정문** 2. **탑승구**

an iron gate 철문

Please be at Gate 18.
18번 탑승구로 오세요.

335 **lie**
[lai]

lie-lay-lain

동 1. **누워 있다** 2. **(lie-lied-lied) 거짓말하다** 명 **거짓말**

lie on the bed 침대에 누워 있다

Don't lie to me.
내게 거짓말하지 마.

336 **yard** [jɑːrd]

명 **마당, 뜰**

a front **yard** 앞마당

The cute puppy runs across the front **yard**.
그 귀여운 강아지는 앞마당을 가로질러 달린다.

337 **garage** [gərɑ́ːdʒ]

명 **차고, 주차장**

a **garage** sale 창고 세일, 중고품 염가 판매

My bike is outside the **garage**.
내 자전거는 차고 밖에 있다.

338 **porch** [pɔːrtʃ]

명 **현관**

the front **porch** 앞쪽 현관

My sister is walking to the **porch**.
나의 여동생이 현관으로 걸어가고 있다.

339 **stay** [stei]

동 **머무르다**

stay at home 집에 머무르다

I **stayed** three nights at my uncle's house.
나는 삼촌 댁에서 3일 밤을 묵었다.

340 **furniture** [fə́ːrnitʃər]

명 **가구**

a piece of **furniture** 가구 한 점

She switched around the **furniture** in the house.
그녀는 집에 있는 가구의 위치를 바꿨다.

DAILY TEST DAY 17 가정생활

집

A 영어는 우리말로, 우리말은 영어로 바꾸세요.

1 furniture ....
2 outside ....
3 repair ....
4 stair ....
5 stay ....
6 upstairs ....
7 inside ....
8 gate ....
9 floor ....
10 yard ....
11 창문 ....
12 다락방 ....
13 차고 ....
14 지하실 ....
15 누워 있다 ....
16 지붕 ....
17 부엌 ....
18 정원 ....
19 빛, 전등 ....
20 현관 ....

B 주어진 우리말을 참고하여 어구를 완성하세요.

1 전등을 끄다 turn off the ....
2 지하 2층 the second ....
3 앞마당 a front ....
4 부엌 개수대 .... sink
5 가구 한 점 a piece of ....

C 우리말에 맞게 빈칸을 채워 문장을 완성하세요.

1 여동생이 부엌 바닥에 달걀을 떨어뜨렸다.
My sister dropped the egg on the kitchen ______.

2 나는 대개 주말 동안 집에 머무른다.
I usually ______ at home on weekends.

3 아빠는 먼지 쌓인 다락방을 둘러보았다.
My father looked around the dusty ______.

4 비가 지붕 위에 떨어지고 있다.
The rain is falling on the ______.

5 그는 위층으로 올라가서 바이올린을 연주했다.
He went ______ and played the violin.

D 빈칸에 알맞은 단어를 골라 쓰세요. (필요하면 형태를 바꾸세요.)

lie	garden	stair	inside

1 My sister is walking up the ______.

2 I want to ______ on the bed and read a book.

3 My grandpa waters the ______ every morning.

4 The kids went ______ the house when it started to rain.

DAY 18

가정생활

집안일

341 **closet**
[klɑ́zit]

명 **옷장, 벽장**

hang in the **closet** 옷장에 걸다

He is hanging his shirt in the **closet**.
그는 옷장 안에 셔츠를 걸고 있다.

342 **drawer**
[drɔːr]

명 **서랍**

close a **drawer** 서랍을 닫다

I put the pencils in the top **drawer**.
나는 연필을 맨 위 서랍에 넣었다.

343 **pillow**
[pílou]

명 **베개**

sleep on a **pillow** 베개를 베고 자다

Put a **pillow** under his head.
그의 머리 밑에 베개를 좀 받쳐 주렴.

344 **blanket**
[blǽŋkit]

명 **담요**

put a **blanket** over 담요를 덮어 주다

He covered his son with a **blanket**.
그는 아들에게 담요를 덮어 주었다.

345 **refrigerator**
[rifrídʒərèitər]

명 **냉장고**

put in the **refrigerator** 냉장고에 넣다

There is nothing to eat in the **refrigerator**.
냉장고에 먹을 게 하나도 없다.

346 **mirror**
[mírər]

명 **거울**

look at oneself in the **mirror** 거울에 비친 자신을 보다

My sister is looking in the **mirror**.
여동생이 거울을 보고 있다.

347 **couch**
[kautʃ]

명 **긴 의자, 소파**

couch potato 가만히 앉아 TV만 보는 사람

Dad is sitting on the **couch** in the living room.
아빠는 거실에 있는 소파에 앉아 있다.

348 **fireplace**
[fáiərplèis]

명 **벽난로**

around a **fireplace** 벽난로 주변에

The family sat in front of the **fireplace**.
가족들은 벽난로 앞에 앉아 있었다.

349 **rug**
[rʌg]

명 1. **깔개, 양탄자** 2. **무릎 덮개**

sleep on a **rug** 깔개 위에서 자다

She rolled herself in the **rug**.
그녀는 무릎 덮개로 몸을 감쌌다.

350 **feed**
[fiːd]

feed-fed-fed

동 **먹이다, 먹이를 주다**

feed a family 가족을 부양하다

How many times a day should I **feed** a dog?
개에게 하루에 몇 번 먹이를 줘야 하나요?

DAY
18

351 **shelf**
[ʃelf]

명 **선반, 책꽂이**

on a top shelf 선반 맨 위에

I'll put the book back on the shelf.
책을 책장에 다시 꽂아 놓을게요.

352 **sweep**
[swiːp]

sweep-swept-swept

동 **쓸다, 청소하다**

sweep the floor 바닥을 쓸다

He helped me sweep the snow in the garden.
그는 내가 정원에 있는 눈을 쓰는 것을 도와주었다.

353 **mop**
[mɑp]

명 **대걸레** 동 **대걸레로 닦다**

a wet mop 젖은 대걸레

Can you mop the kitchen floor?
부엌 바닥을 대걸레로 닦아 줄래?

354 **wipe**
[waip]

동 **(먼지, 물기 등을) 닦다**

wipe one's eyes 눈물을 닦다

She made her son wipe the table.
그녀는 아들에게 식탁을 닦게 했다.

355 **dust**
[dʌst]

명 **먼지, 티끌** 동 **먼지를 털다**

raise a dust 먼지를 일으키다

Could you dust the living room?
거실 먼지 좀 털어 주겠니?

356 **fold**
[fould]

동 **접다, 개키다**

fold the clothes 옷을 개다

My mom is **folding** the towel.
엄마는 수건을 개고 있다.

357 **laundry**
[lɔ́:ndri]

명 **세탁, 세탁물**

do the **laundry** 세탁하다

I don't like doing the **laundry**.
나는 빨래하는 것을 싫어한다.

358 **brush**
[brʌʃ]

명 **솔, 붓** 동 **솔질하다**

brush one's teeth 이를 닦다

Brush your hair before you go out.
외출하기 전에 머리를 빗어라.

359 **lawn**
[lɔ:n]

명 **잔디, 잔디밭**

mow a **lawn** 잔디를 깎다

My grandfather is watering the **lawn**.
할아버지께서 잔디에 물을 주고 계신다.

360 **weed**
[wi:d]

명 **잡초** 동 **잡초를 뽑다**

pull up a **weed** 잡초를 뽑다

My grandma often **weeds** the garden.
할머니께서는 자주 정원의 잡초를 뽑으신다.

DAILY TEST DAY 18

가정생활
집안일

A 영어는 우리말로, 우리말은 영어로 바꾸세요.

1	blanket		11	선반, 책꽂이	
2	mop		12	베개	
3	dust		13	냉장고	
4	feed		14	벽난로	
5	sweep		15	세탁	
6	rug		16	잔디	
7	wipe		17	서랍	
8	couch		18	거울	
9	brush		19	잡초	
10	closet		20	접다, 개키다	

B 주어진 우리말을 참고하여 어구를 완성하세요.

1 잡초를 뽑다 pull up a(n) ....

2 이를 닦다 .... one's teeth

3 바닥을 쓸다 .... the floor

4 가만히 앉아 TV만 보는 사람 .... potato

5 가족을 부양하다 .... a family

C 우리말에 맞게 빈칸을 채워 문장을 완성하세요.

1 엄마는 책 몇 권을 선반 맨 위에 놓으셨다.
My mom put some books on the top ______.

2 그 소년은 베개를 베고 자고 있다.
The boy is sleeping on the ______.

3 그녀는 남편에게 세탁해 줄 것을 부탁했다.
She asked her husband to do the ______.

4 아빠는 식탁을 닦고 계신다.
My father is ______ the table.

5 그들은 벽난로 주변에 앉아 있다.
They are sitting around the ______.

D 빈칸에 알맞은 단어를 골라 쓰세요. (필요하면 형태를 바꾸세요.)

blanket	dust	fold	closet

1 Wipe the ______ from your desk.

2 I am ______ the clean clothes.

3 She put a ______ over the sleeping child.

4 He always hangs his clothes in the ______.

DAY 19

신체와 건강

몸

361 **neck**
[nek]

명 목

a long neck 긴 목

She is wearing a necklace around her neck.
그녀는 목에 목걸이를 하고 있다.

362 **leg**
[leg]

명 다리

break one's leg 다리가 부러지다

The dog bit me in the left leg.
개가 내 왼쪽 다리를 물었다.

363 **arm**
[ɑːrm]

명 팔

arm in arm 서로 팔짱을 끼고

My father touched me on the arm.
아버지가 내 팔을 만지셨다.

364 **elbow**
[élbou]

명 팔꿈치

an elbow pad 팔꿈치 보호대

I hit my elbow against the window.
나는 창문에 팔꿈치를 부딪쳤다.

365 **finger**
[fíŋgər]

명 손가락

cut one's finger 손가락을 베다

I caught my finger in the door.
손가락이 문에 끼었다.

366 **palm**
[pɑːm]

명 **손바닥**

read one's **palm** ~의 손금을 보다

Put your **palms** together.
손바닥을 마주 대라.

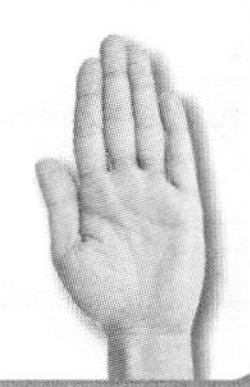

367 **shoulder**
[ʃóuldər]

명 **어깨**

on one's **shoulder** 어깨 위에

I caught him by the **shoulder**.
나는 그의 어깨를 붙들었다.

368 **waist**
[weist]

명 **허리**

have a small **waist** 허리가 가늘다

He put his arm around her **waist**.
그는 그녀의 허리에 팔을 둘렀다.

369 **belly**
[béli]

명 **배**

one's **bally** fat 뱃살

Look at the big **belly** of the man over there.
저쪽에 배 나온 남자를 봐라.

370 **chest**
[tʃest]

명 1. **가슴** 2. **궤, 상자**

a pain in one's **chest** 가슴 통증

Go and bring a medicine **chest**.
가서 구급상자를 가져와라.

DAY
19

371 **thigh**
[θai]

명 **허벅지**

to one's **thigh** 허벅지까지

My son rolled up his pants to his **thighs**.
나의 아들은 자신의 바지를 허벅지까지 말아 올렸다.

372 **knee**
[niː]

명 **무릎**

drop the **knee** 무릎을 꿇다

I fell off the bicycle and skinned my **knees**.
나는 자전거에서 떨어져서 무릎이 까졌다.

373 **ankle**
[ǽŋkl]

명 **발목**

twist one's **ankle** 발목을 삐다

She was **ankle** deep in the ocean's water.
그녀는 바닷물에 발목까지 빠졌다.

374 **toe**
[tou]

명 **발가락**

from head to **toe** 머리에서 발끝까지

He stepped on my **toe**.
그가 내 발가락을 밟았다.

375 **heel**
[hiːl]

명 1. **뒤꿈치** 2. **(신발의) 굽**

high-**heel** shoes 굽이 높은 신발

There is a big hole in the **heel** of my sock.
양말의 뒤꿈치 부분에 커다란 구멍이 나 있다.

376 back
[bæk]

명 1. **등** 2. **뒤쪽** 부 **되돌아, 뒤로**

sleep on one's **back** 바로 누워 자다
look **back** 되돌아보다

He was hurt in the **back** of the knee.
그는 무릎 뒤쪽을 다쳤다.

377 muscle
[mʌ́sl]

명 **근육**

muscle power 근력

I had **muscle** pain when I lifted the book.
책을 들었을 때 나는 근육통을 느꼈다.

378 disabled
[diséibld]

형 **장애를 가진**

mentally **disabled** 정신 장애를 가진

We are helping the **disabled**.
우리는 장애인들을 돕고 있다.

379 temperature
[témpərətʃər]

명 1. **온도** 2. **체온**

a high **temperature** 고온

The doctor took a patient's **temperature**.
의사가 환자의 체온을 쟀다.

380 on foot

걸어서

My parents go to work **on foot**.
우리 부모님은 걸어서 출근하신다.

DAILY TEST DAY 19

신체와 건강
몸

A 영어는 우리말로, 우리말은 영어로 바꾸세요.

1 arm ....
2 toe ....
3 disabled ....
4 chest ....
5 leg ....
6 heel ....
7 back ....
8 waist ....
9 belly ....
10 on foot ....
11 허벅지 ....
12 어깨 ....
13 손바닥 ....
14 무릎 ....
15 팔꿈치 ....
16 발목 ....
17 근육 ....
18 손가락 ....
19 온도, 체온 ....
20 목 ....

B 주어진 우리말을 참고하여 어구를 완성하세요.

1 근력 .... power
2 바로 누워 자다 sleep on one's ....
3 무릎을 꿇다 drop the ....
4 허리가 가늘다 have a small ....
5 ~의 손금을 보다 read one's ....

C 우리말에 맞게 빈칸을 채워 문장을 완성하세요.

1 나는 계단에서 넘어져서 왼쪽 다리가 부러졌다.

I fell down the stairs and broke my left ______.

2 그는 농구를 하다가 발목을 삐었다.

He twisted his ______ playing basketball.

3 그녀는 머리끝에서 발끝까지 빨간색으로 차려 입었다.

She was dressed in red from head to ______.

4 엄마는 칼에 손가락을 베었다.

My mom cut her ______ with a knife.

5 갑자기 그는 가슴 통증을 느꼈다.

Suddenly, he felt a pain in his ______.

D 빈칸에 알맞은 단어를 골라 쓰세요.

elbow	heel	belly	shoulder

1 He is trying to lose some of his ______ fat.

2 He is carrying a bag on his ______.

3 When I ride a bike, I put on the ______ pads.

4 My shoes have worn down at the ______.

DAY 20

신체와 건강

얼굴

381 **skin**
[skin]

명 1. **피부** 2. **껍질**

have dark skin 피부가 까무잡잡하다

Remove the skin from the tomatoes.
토마토의 껍질을 벗겨라.

382 **forehead**
[fɔ́(:)hed]

명 **이마**

wipe one's forehead 이마를 닦다

I have a high forehead.
나는 이마가 넓다.

383 **eyebrow**
[áibràu]

명 **눈썹**

raise an eyebrow 눈썹을 치켜 올리다

She likes a man with thick eyebrows.
그녀는 눈썹이 짙은 남자를 좋아한다.

384 **eyelid**
[áilìd]

명 **눈꺼풀**

one's eyelids grow heavy 눈꺼풀이 무거워지다

My mom's eyelids began to droop with age.
엄마의 눈꺼풀은 나이가 들면서 쳐지기 시작했다.

385 **beard**
[biərd]

명 **(턱)수염**

grow a beard 수염을 기르다

He shaves his beard every morning.
그는 매일 아침 수염을 깎는다.

386 **style**
[stail]

명 **스타일, 방식**

style of living 생활 방식

Why did you change your hair **style**?
너는 왜 머리 스타일을 바꿨니?

387 **cheek**
[tʃi:k]

명 **볼, 뺨**

kiss me on the **cheek** 나의 볼에 뽀뽀하다

She has a dimple in her **cheek**.
그녀는 뺨에 보조개가 있다.

388 **straight**
[streit]

부 **똑바로, 곧장** 형 **곧은, 똑바른**

keep **straight** on 계속 똑바로 가다

He likes the girl with long **straight** hair.
그는 긴 생머리를 한 그 소녀를 좋아한다.

389 **tooth**
[tu:θ]

명 **이, 치아**

brush one's **teeth** 양치질 하다

The dentist pulled out my **tooth**.
치과의사가 나의 이를 뽑았다.

390 **frown**
[fraun]

동 **눈살을 찌푸리다** 명 **찡그림**

frown at ~에 눈살을 찌푸리다

She looked at me with a **frown**.
그녀는 찡그린 얼굴로 날 쳐다보았다.

391 **chin**
[tʃin]

명 **턱**

rest one's chin in one's hand 손으로 턱을 괴다

He cut his chin while shaving.
그는 면도를 하다가 턱을 베었다.

392 **curly**
[kə́ːrli]

형 **곱슬곱슬한**

curly hair 곱슬 머리

When I was young, my hair was curly.
어렸을 때 나는 곱슬머리였다.

393 **tongue**
[tʌŋ]

명 1. **혀** 2. **언어**

mother tongue 모국어

Her tongue was red from a cherry candy.
그녀의 혀는 체리 사탕 때문에 빨갰다.

394 **throat**
[θrout]

명 **목구멍, 목**

clear one's throat 목을 가다듬다

I have a really sore throat.
나는 목이 정말 아프다.

395 **bone**
[boun]

명 **뼈**

break a bone 뼈가 부러지다, 골절하다

I hate him to the bone.
나는 그가 뼛속까지 싫다.

396 beauty [bjúːti]

명 1. 아름다움 2. 미인 **beautiful** 형 아름다운

natural **beauty** 자연미

My mom used to be a **beauty** in her day.
엄마는 한창 때에 미인이었다.

397 ugly [ʌ́gli]

형 **못생긴, 추한**

an **ugly** face 못생긴 얼굴

An **ugly** dog surprised me on the way to school.
한 못생긴 개가 학교 가는 길에 나를 놀라게 했다.

398 lip [lip]

명 **입술**

bite one's **lip** 입술을 깨물다

She has a huge lower **lip**.
그녀는 아랫입술이 정말 두껍다.

399 voice [vɔis]

명 **목소리, 음성**

one's **voice** starting to break 변성기

Would you lower your **voice** a bit?
목소리를 조금 낮춰주시겠어요?

400 wrinkle [ríŋkl]

명 **주름** 동 **주름을 잡다, 찡그리다**

make a **wrinkle** 주름이 지게 하다

She **wrinkled** her nose at the smell.
그녀는 그 냄새에 코를 찡그렸다.

DAILY TEST DAY 20

신체와 건강

얼굴

A 영어는 우리말로, 우리말은 영어로 바꾸세요.

1 eyelid ....

2 throat ....

3 frown ....

4 beauty ....

5 style ....

6 ugly ....

7 straight ....

8 wrinkle ....

9 curly ....

10 skin ....

11 이마 ....

12 이, 치아 ....

13 눈썹 ....

14 뼈 ....

15 입술 ....

16 볼, 뺨 ....

17 혀, 언어 ....

18 턱수염 ....

19 목소리 ....

20 턱 ....

B 주어진 우리말을 참고하여 어구를 완성하세요.

1 수염을 기르다 grow a(n) ....

2 양치질 하다 brush one's ....

3 모국어 mother ....

4 못생긴 얼굴 a(n) .... face

5 주름이 지게 하다 make a(n) ....

C 우리말에 맞게 빈칸을 채워 문장을 완성하세요.

1 그들은 그의 곱슬머리에 대해 놀렸다.

They teased him about his ________ hair.

2 그녀는 미인 대회에서 3등을 했다.

She won third place in the ________ contest.

3 그 소식에 엄마는 눈썹을 치켜 올렸다.

My mom raised her ________ at the news.

4 그녀는 손수건으로 그의 이마를 닦았다.

She wiped his ________ with a handkerchief.

5 매일 아침 엄마는 나의 뺨에 뽀뽀한다.

My mom kisses me on the ________ every morning.

D 빈칸에 알맞은 단어를 골라 쓰세요. (필요하면 형태를 바꾸세요.)

throat	lip	chin	eyelid

1 He is biting his ________ nervously.

2 My ________ grew heavy with sleep.

3 She cleared her ________ and began to speak.

4 The little boy is resting his ________ in his hand.

누적 TEST 4 주차 DAY 16-20

001 **stay**

002 **beard**

003 **voice**

004 **pour**

005 **recipe**

006 **fold**

007 **ankle**

008 **inside**

009 **sweep**

010 **add**

011 **bone**

012 **arm**

013 먹이다

014 씻다

015 수리하다

016 팔꿈치

017 이마

018 끓이다

019 바닥, 층

020 근육

021 먼지

022 계단

023 칼

024 발가락

025 **burn**

026 **knee**

027 **outside**

028 **weed**

029 **chest**

030 **rug**

031 **upstairs**

032 **bowl**

033 **light**

034 **neck**

035 **eyebrow**

036 **break**

037 가구

038 손바닥

039 거울

040 다리

041 손가락

042 장애를 가진

043 마당

044 썰다

045 눈꺼풀

046 온도

047 뒤꿈치

048 정원

049 **gate**

050 **heat**

051 **on foot**

052 **back**

053 **wipe**

054 **plate**

055 **attic**

056 **lie**

057 **belly**

058 **chin**

059 **brush**

060 **couch**

061 **basement**

062 피부

063 창문

064 섞다

065 허벅지

066 입술

067 옷장

068 지붕

069 허리

070 차고

071 젓가락

072 벽난로

073 어깨

074 요리하다, 요리사

075 **tongue**

076 **style**

077 **kettle**

078 **pot**

079 **cheek**

080 **laundry**

081 **straight**

082 **stir**

083 **mop**

084 **bake**

085 **shelf**

086 **beauty**

087 **porch**

088 냉장고

089 이, 치아

090 목구멍

091 서랍

092 못생긴

093 껍질을 벗기다

094 주름

095 잔디

096 베개

097 담요

098 부엌

099 곱슬곱슬한

100 눈살을 찌푸리다

DAY 21

신체와 건강

동작

401 **action**
[ǽkʃən]

명 **행동, 활동** **act** 동 행동하다

in action 활동을 하는

He was out of action for weeks with a broken leg.
그는 다리가 부러져서 몇 주 동안 활동을 못했다.

402 **grab**
[græb]

동 **움켜잡다**

grab at a chance 기회를 잡다

Grab the rope and hold it tight.
밧줄을 꽉 붙잡고 있어라.

403 **drink**
[driŋk]

drink-drank-drunk

동 **마시다** 명 **음료, 마실 것**

soft drinks 청량음료

My mom drinks a glass of milk for breakfast.
우리 엄마는 아침으로 우유 한 잔을 마신다.

404 **tear**
[teər]

tear-tore-torn

동 **찢다, 뜯다** 명 [tiər] **눈물**

tear a letter 편지를 찢다

My brother tried to tear up his report card.
형은 그의 성적표를 찢으려고 했다.

405 **pull**
[pul]

동 **끌어당기다**

pull a door 문을 당기다

Pull in your chin.
턱을 끌어당겨라.

406 **push**
[puʃ]

동 **밀다**

push a cart 카트를 밀다

You **push** and I'll pull.
네가 밀면 내가 끌어당길게.

407 **kick**
[kik]

동 **차다**

kick a ball 공을 발로 차다

Don't **kick** the dog.
그 개를 차지 마라.

408 **throw**
[θrou]

throw-threw-thrown

동 **던지다**

throw away 버리다

My brother is **throwing** snowballs at me.
형이 나에게 눈덩이를 던지고 있다.

409 **catch**
[kætʃ]

catch-caught-caught

동 **잡다**

catch a fish 물고기를 잡다

I jumped up to **catch** the ball.
나는 공을 잡기 위해 뛰어 올랐다.

410 **hang**
[hæŋ]

hang-hung-hung

동 **걸다, 매달다**

hang a coat on the hanger 코트를 옷걸이에 걸다

She **hung** the picture above the sofa.
그녀는 그림을 소파 위에 걸었다.

411 **nod** [nɑd]

동 끄덕이다 명 끄덕임

nod one's head 고개를 끄덕이다

The student gave a nod of understanding.
그 학생은 이해한다는 의미로 고개를 끄덕였다.

412 **point** [pɔint]

동 가리키다 명 요점, 핵심

take one's point ~의 말을 이해하다

My son is pointing to a big star in the sky.
내 아들은 하늘에 있는 커다란 별 하나를 가리키고 있다.

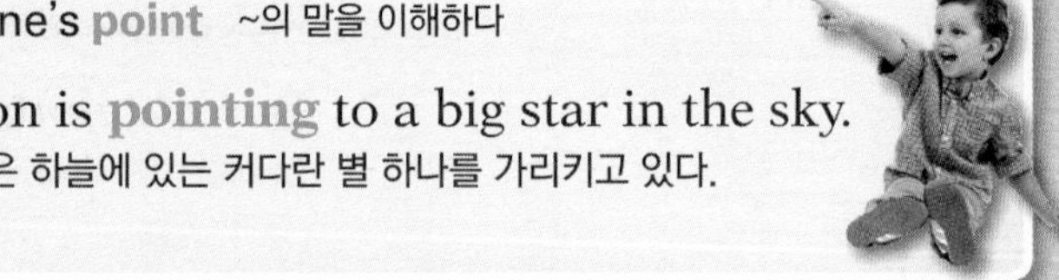

413 **smell** [smel]

동 냄새가 나다, 냄새를 맡다 명 냄새

smell good 좋은 냄새가 나다

The room had a bad smell.
그 방은 나쁜 냄새가 났다.

414 **bend** [bend]

bend-bent-bent

동 구부리다, 숙이다

bend one's body backward 몸을 뒤로 젖히다

Bend over and put your hands to the floor.
허리를 숙여 손을 바닥에 대 보아라.

415 **stretch** [stretʃ]

동 늘이다, 쭉 뻗다

stretch one's legs 다리를 쭉 뻗다

Stretch your arms as she does.
그녀가 하는 것처럼 팔을 쭉 뻗어라.

416 pick [pik]

동 1. **고르다, 선택하다** 2. **꺾다, 따다**

pick a number 숫자 하나를 선택하다

We are going to **pick** apples.
우리는 사과를 딸 것이다.

417 slide [slaid]

slide-slid-slid

동 **미끄러지다**

slide down 미끄러져 내려가다

He **slid** across the ice.
그는 얼음 위로 미끄러졌다.

418 move [mu:v]

동 1. **움직이다** 2. **이사하다**

move one's finger 손가락을 움직이다

We will **move** to a large city.
우리는 대도시로 이사할 것이다.

419 press [pres]

동 **누르다** 명 **언론, 신문** **pressure** 명 압력

the freedom of the **press** 언론의 자유

Would you **press** the button for the 8th floor?
8층으로 가는 버튼을 눌러주시겠어요?

420 watch [watʃ]

동 **보다, 지켜보다** 명 **손목시계**

watch TV TV를 보다

My **watch** is half an hour fast.
내 손목시계는 30분 빠르다.

DAILY TEST

DAY 21

신체와 건강

동작

A 영어는 우리말로, 우리말은 영어로 바꾸세요.

1 hang ______

2 watch ______

3 pull ______

4 bend ______

5 point ______

6 pick ______

7 action ______

8 drink ______

9 move ______

10 kick ______

11 찢다, 눈물 ______

12 끄덕이다 ______

13 잡다 ______

14 늘이다, 쭉 뻗다 ______

15 움켜잡다 ______

16 밀다 ______

17 누르다, 언론 ______

18 냄새가 나다 ______

19 던지다 ______

20 미끄러지다 ______

B 주어진 우리말을 참고하여 어구를 완성하세요.

1 기회를 잡다 ______ at a chance

2 손가락을 움직이다 ______ one's finger

3 코트를 옷걸이에 걸다 ______ a coat on the hanger

4 고개를 끄덕이다 ______ one's head

5 미끄러져 내려가다 ______ down

C 우리말에 맞게 빈칸을 채워 문장을 완성하세요.

1 몸을 뒤로 젖히고 10까지 세라.

__________ your body backward and count to 10.

2 문을 당겨서 열어라.

__________ the door open.

3 팔과 다리를 쭉 뻗으세요.

__________ your arms and legs.

4 아빠는 큰 물고기를 잡길 원했다.

My dad wanted to __________ a big fish.

5 그 여자는 마트에서 카트를 밀고 있다.

The woman is __________ the cart in the mart.

D 빈칸에 알맞은 단어를 골라 쓰세요. (필요하면 형태를 바꾸세요.)

tear	kick	smell	pick

1 She is __________ the letter into pieces.

2 Don't __________ the flowers in my garden.

3 There is a delicious __________ in the kitchen.

4 The soccer players are __________ the ball on the ground.

DAY 22

신체와 건강

건강/질병

421 **hospital**
[háspitəl]

명 **병원**

be in the **hospital** 입원하다

I think you should go to the **hospital**.
내 생각에 너는 병원에 가봐야 할 것 같다.

422 **hurt**
[həːrt]

hurt-hurt-hurt

동 **다치게 하다, 아프다**

hurt one's arm 팔을 다치다

He **hurt** his knee while running.
그는 달리다가 무릎을 다쳤다.

423 **cold**
[kould]

형 **추운, 차가운** 명 **감기**

a **cold** drink 차가운 음료

My brother caught a **cold** so he was in bed.
남동생은 감기에 걸려서 누워 있었다.

424 **blind**
[blaind]

형 **눈이 먼, 시각 장애가 있는**

go **blind** 눈이 멀다

He is **blind** in one eye.
그는 한 쪽 눈이 멀었다.

425 **cough**
[kɔ(ː)f]

명 **기침** 동 **기침하다**

have a bad **cough** 기침을 심하게 하다

I couldn't stop **coughing**.
나는 기침을 멈출 수가 없었다.

426 **headache** [hédèik]

명 **두통**

have a **headache** 두통이 있다

My **headache** is caused by stress.
내 두통은 스트레스 때문이다.

427 **toothache** [tú:θèik]

명 **치통**

a terrible **toothache** 심한 치통

My mom has a **toothache**.
엄마는 이가 아프시다.

428 **runny nose**

콧물

wipe one's **runny nose** 콧물을 닦다

I've had a **runny nose** all day.
나는 하루 종일 콧물이 흐른다.

429 **fever** [fí:vər]

명 **열**

have a high **fever** 고열이 나다

I was absent because I had a **fever**.
나는 열이 나서 결석했다.

430 **sore** [sɔ:r]

형 **아픈, 따가운**

have a **sore** throat 목이 따갑다

I have a fever, and my throat is **sore**.
나는 열도 나고 목도 아프다.

DAY
22

431 **sick**
[sik]

형 **아픈, 병든**

get sick 아프게 되다

He helped his sick friend all night.
그는 밤새 그의 아픈 친구를 도와주었다.

432 **suffer**
[sʌ́fər]

동 **고통 받다, 시달리다**

suffer from ~로 고통 받다

My grandmother suffers from knee pain.
할머니는 무릎 통증으로 고통 받으신다.

433 **weak**
[wiːk]

형 **약한, 힘이 없는**

have weak eyes 시력이 약하다

My son has been very weak since birth.
내 아들은 태어나면서부터 매우 약하다.

434 **mental**
[méntəl]

형 **정신의, 마음의**

mental health 정신 건강

This play is for children's mental development.
이 놀이는 아이들의 정신 발달을 위한 것이다.

435 **physical**
[fízikəl]

형 **육체의, 신체의**

a physical exam 신체 검사

My dad is a man of great physical strength.
우리 아빠는 강인한 체력의 소유자다.

436 **disease**
[dizíːz]

명 **병, 질병**

die of **disease** 병으로 죽다

My sister has a heart **disease**.
내 여동생은 심장병이 있다.

437 **medicine**
[médisin]

명 1. **의학** 2. **약**

modern **medicine** 현대 의학

Take this **medicine** three times a day.
하루에 세 번 이 약을 복용해라.

438 **prevent**
[privént]

동 **막다, 예방하다**

prevent a disease 질병을 예방하다

We can **prevent** a cold by washing our hands.
손을 씻음으로써 감기를 예방할 수 있다.

439 **treat**
[triːt]

동 1. **대하다, 다루다** 2. **치료하다**

treat him like a child 그를 아이처럼 대하다

There are some ways to **treat** a cold.
감기를 치료하는 몇 가지 방법이 있다.

440 **wound**
[wuːnd]

명 **상처, 부상** 동 **상처를 입히다**

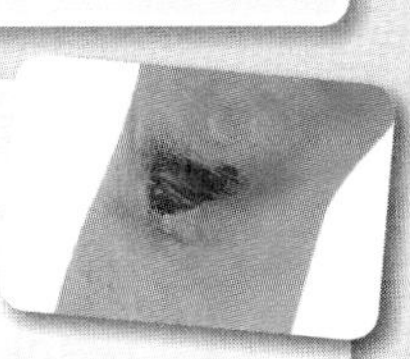

a painful **wound** 아픈 상처

He had been **wounded** in his left leg.
그는 왼쪽 다리에 부상을 당했었다.

DAILY TEST DAY 22

신체와 건강
건강/질병

A 영어는 우리말로, 우리말은 영어로 바꾸세요.

1 sore		11 정신의	
2 hurt		12 의학, 약	
3 suffer		13 상처, 부상	
4 sick		14 병원	
5 weak		15 기침	
6 cold		16 치통	
7 physical		17 열	
8 treat		18 눈이 먼	
9 prevent		19 두통	
10 disease		20 콧물	

B 주어진 우리말을 참고하여 어구를 완성하세요.

1 팔을 다치다 ________ one's arm

2 현대 의학 modern ________

3 정신 건강 ________ health

4 병으로 죽다 die of ________

5 시력이 약하다 have ________ eyes

C 우리말에 맞게 빈칸을 채워 문장을 완성하세요.

1 그녀는 두 살 때 눈이 안보이게 되었다.

She became ______________ when she was two years old.

2 그는 휴지로 콧물을 닦고 있다.

He is wiping his ______________ with a tissue.

3 나는 매년 신체검사를 받는다.

I have a(n) ______________ exam every year.

4 엄마는 감기 때문에 두통이 있다.

My mom has a(n) ______________ from a cold.

5 그녀는 기침을 심하게 한다.

She has a bad ______________.

D 빈칸에 알맞은 단어를 골라 쓰세요.

hospital	fever	sore	toothache

1 I have a ______________ throat, and can't talk.

2 My friend is in the ______________ with her broken arm.

3 He had a terrible ______________ because of tooth decay.

4 My mom used a cold cloth to cool down my ______________.

DAY 23

신체와 건강

건강/질병

441 **patient** [péiʃənt]

명 환자 형 인내심 있는 **patience** 명 인내심

treat a patient 환자를 진찰하다

You have to be patient.
너는 인내심을 가져야 한다.

442 **cure** [kjuər]

동 치료하다, 치유하다 명 치료법

cure a patient 환자를 치유하다

There is no known cure for AIDS.
에이즈에 관한 치료법은 알려진 것이 없다.

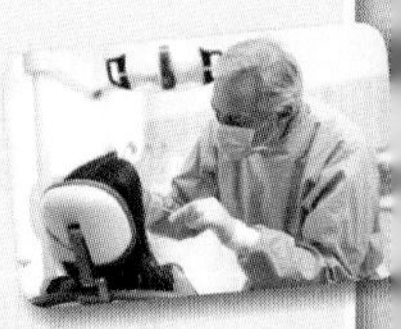

443 **deaf** [def]

형 귀가 먹은

deaf of an ear 한 쪽 귀가 먼

My grandmother was deaf in her right ear.
할머니는 오른쪽 귀가 들리지 않으셨다.

444 **injure** [índʒər]

동 다치게 하다 **injury** 명 부상, 상처

injure health 건강을 해치다

Many people were injured in the accident.
그 사고로 많은 사람들이 부상을 입었다.

445 **heal** [hiːl]

동 치유되다, 치유하다

heal the wounds 상처를 치유하다

The wound should heal in one month.
그 상처는 한 달 후면 치유될 것이다.

446 **recover** [rikʌ́vər]

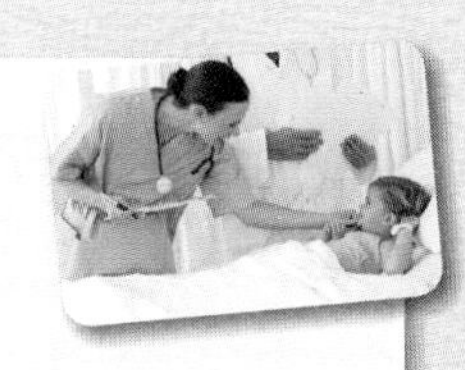

동 회복하다, 되찾다 **recovery** 명 회복

recover one's health 건강을 회복하다

I hope you'll **recover** soon.
네가 곧 회복하기를 바래.

447 **pain** [pein]

명 고통, 통증 **painful** 형 고통스러운

a cry of **pain** 고통에 찬 비명

This medicine will help to ease the **pain**.
이 약은 통증을 가라앉히는데 도움이 될 것이다.

448 **emergency** [imə́ːrdʒənsi]

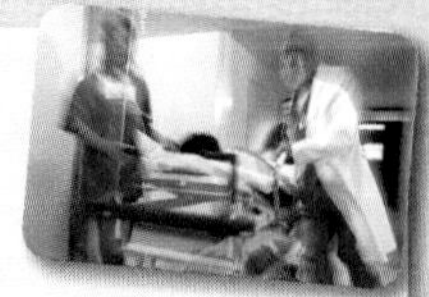

명 비상사태

an **emergency** room 응급실

In an **emergency**, call 119.
비상사태 발생 시, 119로 전화해라.

449 **death** [deθ]

명 죽음, 사망 **die** 동 죽다

a sudden **death** 갑작스러운 죽음

I'm sorry about your grandfather's **death**.
할아버지께서 돌아가셨다니 유감입니다.

450 **fit** [fit]

형 1. 건강한 2. 적합한 동 꼭 맞다

keep **fit** 건강을 유지하다

This dress doesn't **fit** her.
이 드레스는 그녀에게 맞지 않는다.

451 **exercise** [éksərsàiz]

동 **운동하다** 명 **운동**

take **exercise** 운동을 하다

I **exercise** three days a week.
나는 일주일에 3일 운동을 한다.

452 **habit** [hǽbit]

명 **버릇, 습관**

have the **habit** of doing ~하는 버릇이 있다

Biting your nails is a bad **habit**.
손톱을 물어뜯는 것은 나쁜 버릇이다.

453 **try** [trai]

동 1. **노력하다** 2. **시도하다** 명 **시도**

try to pass the test 시험에 통과하려고 노력하다

I'll give it a **try**.
한번 시도해 볼 것이다.

454 **regular** [régjələr]

형 1. **규칙적인, 정기적인** 2. **보통의**

a **regular** size 보통 사이즈

Do you take **regular** exercise?
너는 운동을 규칙적으로 하니?

455 **jump rope**

명 **줄넘기**

do **jump rope** 줄넘기하다

I'm planning to do **jump rope** every day.
나는 매일 줄넘기를 할 계획이다.

456 **balance**
[bǽləns]

명 **균형** 동 **균형을 잡다**

a sense of **balance** 균형 감각

Can you **balance** on one leg?
한 다리로 서서 균형을 잡을 수 있니?

457 **keep**
[ki:p]

keep–kept–kept

동 **유지하다, 계속하다**

keep one's balance 균형을 유지하다

Eating right **keeps** you healthy.
잘 먹는 것이 너를 건강하게 유지시킨다.

458 **jog**
[dʒɑg]

동 **조깅하다** 명 **조깅**

go for a **jog** 조깅하러 가다

I **jog** every morning in the park.
나는 매일 아침 공원에서 조깅한다.

459 **condition**
[kəndíʃən]

명 **(건강) 상태**

be in good **condition** 상태가 좋다

The **condition** of my health is excellent.
나의 건강 상태는 아주 좋다.

460 **sight**
[sait]

명 1. **시력** 2. **시야**

lose one's **sight** 시력을 잃다

Get out of my **sight**.
내 눈 앞에서 사라져.

DAILY TEST DAY 23

신체와 건강

건강/질병

A 영어는 우리말로, 우리말은 영어로 바꾸세요.

1 heal ....
2 jog ....
3 recover ....
4 cure ....
5 injure ....
6 pain ....
7 try ....
8 exercise ....
9 keep ....
10 fit ....
11 비상사태 ....
12 줄넘기 ....
13 버릇, 습관 ....
14 죽음 ....
15 균형 ....
16 귀가 먹은 ....
17 환자 ....
18 시력, 시야 ....
19 규칙적인 ....
20 상태 ....

B 주어진 우리말을 참고하여 어구를 완성하세요.

1 응급실 a(n) .... room
2 균형 감각 a sense of ....
3 한 쪽 귀가 먼 .... of an ear
4 건강을 회복하다 .... one's health
5 시력을 잃다 lose one's ....

C 우리말에 맞게 빈칸을 채워 문장을 완성하세요.

1 나는 약 4km 정도 조깅을 한다.

I ______________ about 4km or so.

2 규칙적인 운동은 건강에 중요하다.

______________ exercise is important for your health.

3 그들은 아침에 1시간 동안 운동을 한다.

They ______________ for an hour in the morning.

4 할아버지는 돌아가시기 전에 이곳에서 사셨다.

My grandfather lived here before his ______________.

5 그 환자는 이제 위험한 상태를 벗어났다.

The ______________ is out of danger now.

D 빈칸에 알맞은 단어를 골라 쓰세요.

heal	fit	habit	pain

1 Everyone wants to stay ______________.

2 Music can help ______________ our sick bodies.

3 If you take this pill, your ______________ will be gone.

4 He is in the ______________ of sitting up late.

DAY

24 여가생활

취미

461 **hobby** [hábi]

명 **취미**

make a **hobby** of ~을 취미로 삼다

I play the guitar only as a **hobby**.
나는 그저 취미로 기타를 연주한다.

462 **free** [friː]

형 1. **자유로운** 2. **한가한** 3. **무료의**

free and easy 격식을 차리지 않는
free of charge 공짜로

What do you do in your **free** time?
너는 여가 시간에 무엇을 하니?

463 **make** [meik]

make-made-made

동 **만들다, 제작하다**

make a model 모형을 만들다

My dad is **making** a kite for me.
우리 아빠는 나를 위해 연을 만들고 계신다.

464 **climb** [klaim]

동 **오르다, 올라가다**

climb a mountain 등산하다

My brother is **climbing** a tree.
남동생이 나무를 오르고 있다.

465 **museum** [mju(ː)zí(ː)əm]

명 **박물관, 미술관**

a science **museum** 과학 박물관

Let's visit the **museum** this Saturday.
이번 주 토요일에 박물관에 가자.

466 **ride**
[raid]

ride-rode-ridden

동 **타다** 명 **타기, 승마**

ride a bike 자전거를 타다

He is enjoying the **ride**.
그는 승마를 즐기고 있다.

467 **picture**
[píktʃər]

명 1. **그림** 2. **사진**

as pretty as a **picture** 그림같이 예쁜

She likes to take **pictures** of flowers.
그녀는 꽃 사진 찍기를 좋아한다.

468 **movie**
[mú:vi]

명 **영화**

go to the **movies** 영화 보러 가다

While watching a **movie**, I fell asleep.
영화 보다가 나는 잠이 들었다.

469 **theater**
[θí(:)ətər]

명 **극장**

a movie **theater** 영화관

We're going to go to the **theater** tonight.
우리는 오늘 밤 극장에 갈 것이다.

470 **prefer**
[prifə́:r]

동 **더 좋아하다**

prefer A to B B보다 A를 더 좋아하다

Which do you **prefer**, baseball or basketball?
야구와 농구 중 어떤 것을 더 좋아하니?

DAY 24

471 **performance** [pərfɔ́ːrməns]

명 **공연, 연주회** **perform** 동 공연하다

a live performance 라이브 공연

We're watching a performance at the theater.
우리는 극장에서 공연을 보고 있다.

472 **collect** [kəlékt]

동 **모으다, 수집하다**

collect old coins 오래된 동전을 모으다

His hobby is collecting stamps.
그의 취미는 우표 수집이다.

473 **paint** [peint]

동 1. **페인트칠하다** 2. **그리다** 명 **페인트**

Wet paint! 페인트 주의!

I asked her to paint a picture of me.
나는 그녀에게 내 그림을 그려 달라고 부탁했다.

474 **listen** [lísn]

동 **듣다, 귀 기울이다**

listen to music 음악을 듣다

Scott likes to listen to Korean songs.
Scott는 한국 노래 듣기를 좋아한다.

475 **favorite** [féivərit]

형 **매우 좋아하는**

my favorite movie star 내가 좋아하는 영화배우

Fishing is one of my father's favorite activities.
낚시는 아빠가 가장 좋아하는 활동 중 하나이다.

476 **search**
[səːrtʃ]

명 검색 동 검색하다

search engines 검색 엔진

I **searched** on the Internet to find information.
나는 정보를 찾기 위해 인터넷으로 검색했다.

477 **pleasure**
[pléʒər]

명 기쁨, 즐거움 **please** 동 기쁘게 하다

a lot of **pleasure** 많은 기쁨

Shopping is always a **pleasure**.
쇼핑은 언제나 즐거움이다.

478 **park**
[pɑːrk]

명 공원 동 주차하다

an amusement **park** 놀이 공원

You can't **park** the car here.
여기에 자동차를 주차하면 안됩니다.

479 **draw**
[drɔː]

draw-drew-drawn

동 1. 그리다 2. 끌어당기다

draw a picture 그림을 그리다

He **drew** his chair up to the fire.
그는 자신의 의자를 난로로 끌어당겼다.

480 **hike**
[haik]

명 하이킹 동 하이킹하다

go on a **hike** 하이킹하다

I want to **hike** this weekend.
이번 주말에 하이킹하고 싶다.

DAILY TEST DAY 24 여가생활

취미

A 영어는 우리말로, 우리말은 영어로 바꾸세요.

1 free ______

2 paint ______

3 ride ______

4 favorite ______

5 draw ______

6 hike ______

7 picture ______

8 listen ______

9 climb ______

10 make ______

11 공원, 주차하다 ______

12 공연 ______

13 취미 ______

14 극장 ______

15 수집하다 ______

16 박물관 ______

17 검색하다 ______

18 기쁨 ______

19 영화 ______

20 더 좋아하다 ______

B 주어진 우리말을 참고하여 어구를 완성하세요.

1 라이브 공연 a live ______

2 영화관 a movie ______

3 과학 박물관 a science ______

4 그림같이 예쁜 as pretty as a(n) ______

5 검색 엔진 ______ engines

C 우리말에 맞게 빈칸을 채워 문장을 완성하세요.

1 그는 공원에 있는 벤치에 앉아 있다.

He is sitting on the bench in the ________.

2 우리와 함께 영화 보러 갈래?

Why don't you go to the ________ with us?

3 여행은 사람들에게 많은 기쁨을 준다.

Traveling gives people a lot of ________.

4 우리 삼촌은 취미로 오래된 동전을 모은다.

My uncle ________ old coins as his hobby.

5 나는 모형 비행기 만드는 것을 좋아한다.

I love to ________ model airplanes.

D 빈칸에 알맞은 단어를 골라 쓰세요. (필요하면 형태를 바꾸세요.)

hike	listen	ride	draw

1 You must put on your helmet when you ________ a bike.

2 ________ a circle on a piece of paper.

3 My son usually ________ to music while doing homework.

4 We went on a ________ through the forest.

DAY 25

여가생활

휴일

481 **holiday** [hálidèi]

명 1. 휴일 2. 휴가

a family **holiday** 가족 휴가

I hope that everyone has a good **holiday**.
모두들 즐거운 휴일을 보내길 바랍니다.

482 **costume** [kástju:m]

명 의상, 복장

a **costume** for a play 연극을 위한 의상

In our play he wore a beggar's **costume**.
그는 연극에서 거지 의상을 입었다.

483 **turkey** [tə́:rki]

명 칠면조 (고기)

a roast **turkey** 구운 칠면조

Turkey meat is used as food at Christmas.
칠면조 고기는 크리스마스 음식으로 이용된다.

484 **pumpkin** [pʌ́mpkin]

명 호박

a **pumpkin** pie 호박 파이

I'm in charge of **pumpkin** carving.
나는 호박 조각하는 것을 맡았다.

485 **Thanksgiving Day**

명 추수 감사절

on **Thanksgiving Day** 추수 감사절에

Chuseok is the Korean **Thanksgiving Day**.
추석은 한국의 추수 감사절이다.

486 **balloon**
[bəlúːn]

명 **풍선**

blow up a **balloon** 풍선을 불다

I saw the **balloon** rising into the sky.
나는 풍선이 하늘로 올라가는 것을 보았다.

487 **witch**
[witʃ]

명 **마녀**

a white **witch** 착한 마녀

A **witch** flies around on the broomstick.
마녀는 빗자루를 타고 날아다닌다.

488 **Easter**
[íːstər]

명 **부활절**

an **Easter** egg hunt 부활절 달걀 찾기

Easter is an important church festival.
부활절은 중요한 교회 행사이다.

489 **Halloween**
[hæ̀ləwíːn]

명 **핼러윈**

give a **Halloween** party 핼러윈 파티를 열다

I'm going as a witch this **Halloween**.
이번 핼러윈에 나는 마녀 분장을 할 것이다.

490 **decorate**
[dékərèit]

동 **장식하다, 꾸미다**

decorate a room 방을 꾸미다

We will **decorate** a Christmas tree tomorrow.
우리는 내일 크리스마스 트리를 장식할 것이다.

DAY 25

491 **tradition**
[trədíʃən]

명 **전통** **traditional** 형 전통의

follow tradition 전통을 따르다

This game is a tradition passed down through the ages in Korea.
이 놀이는 한국에서 대대로 내려오는 전통이다.

492 **relax**
[rilǽks]

동 1. **휴식을 취하다** 2. **긴장을 풀다**

relax at home 집에서 휴식을 취하다

I want to stay at home and relax.
나는 집에서 쉬고 싶다.

493 **colorful**
[kʌ́lərfəl]

형 **화려한, 다채로운**

colorful shop windows 다채로운 상점 진열장들

My sister is wearing a colorful costume.
내 여동생은 화려한 의상을 입고 있다.

494 **fantastic**
[fæntǽstik]

형 **환상적인, 굉장한**

a fantastic beach 환상적인 해변

Our family had a fantastic time on Christmas.
우리 가족은 크리스마스에 아주 멋진 시간을 보냈다.

495 **harvest**
[hɑ́ːrvist]

명 **수확, 추수**

a good harvest 풍작

We had a bad harvest last year.
작년에는 흉작이었다.

496 **gather**
[gǽðər]

동 **모이다, 모으다**

gather around a campfire 모닥불 주위에 모이다

My family would all **gather** together on holidays.
휴일에 우리 가족은 모두 함께 모이곤 했다.

497 **national**
[nǽʃənəl]

형 **국가의, 국가적인**

a **national** flag 국기

The Independence Day is a **national** holiday.
독립 기념일은 국경일이다.

498 **firework**
[fáiərwə̀ːrk]

명 **불꽃(놀이)**

fireworks display 불꽃놀이

The festival began with **fireworks**.
축제는 불꽃놀이로 시작했다.

499 **satisfied**
[sǽtisfaid]

형 **만족하는** **satisfy** 동 만족시키다

be **satisfied** with ~에 만족하다

I'm **satisfied** with my birthday present.
나는 생일 선물에 만족한다.

500 **blow out**

불어서 끄다

She **blew out** candles on the cake.
그녀는 케이크 위에 있는 초를 불어서 껐다.

DAILY TEST DAY 25 여가생활

휴일

A 영어는 우리말로, 우리말은 영어로 바꾸세요.

1 satisfied ....
2 relax ....
3 costume ....
4 gather ....
5 decorate ....
6 national ....
7 colorful ....
8 Easter ....
9 fantastic ....
10 blow out ....
11 전통 ....
12 칠면조 ....
13 불꽃놀이 ....
14 핼러윈 ....
15 마녀 ....
16 풍선 ....
17 휴일, 휴가 ....
18 수확, 추수 ....
19 추수 감사절 ....
20 호박 ....

B 주어진 우리말을 참고하여 어구를 완성하세요.

1 환상적인 해변 a(n) .... beach
2 국기 a(n) .... flag
3 부활절 달걀 찾기 a(n) .... egg hunt
4 전통을 따르다 follow ....
5 착한 마녀 a white ....

C 우리말에 맞게 빈칸을 채워 문장을 완성하세요.

1 우리는 파티를 위해서 풍선을 몇 개 불었다.

We blew up some __________ for the party.

2 내가 가장 좋아하는 음식은 구운 칠면조이다.

My favorite food is roast __________.

3 나는 연극을 위한 의상을 만들었다.

I made a(n) __________ for a play.

4 이번 주말에 집에서 휴식을 취하고 싶다.

I want to __________ at home this weekend.

5 엄마는 호박 파이를 만들고 계신다.

My mom is making a(n) __________ pie.

D 빈칸에 알맞은 단어를 골라 쓰세요.

decorate	fireworks	harvest	satisfied

1 The event ended with __________ display.

2 A drought was the cause of the bad __________.

3 We were __________ with the tour.

4 Will you help me __________ the Christmas tree?

누적 TEST 5 주차 DAY 21 – 25

001 **hurt**

002 **regular**

003 **collect**

004 **push**

005 **climb**

006 **draw**

007 **pleasure**

008 **sore**

009 **keep**

010 **harvest**

011 **heal**

012 **grab**

013 박물관

014 약한

015 만족하는

016 매우 좋아하는

017 비상사태

018 치통

019 휴식을 취하다

020 휴일, 휴가

021 취미

022 미끄러지다

023 더 좋아하다

024 만들다

025 **cough**

026 **listen**

027 **cure**

028 **suffer**

029 **picture**

030 **search**

031 **park**

032 **sick**

033 **gather**

034 **fit**

035 **costume**

036 **sight**

037 회복하다

038 귀가 먹은

039 누르다, 언론

040 던지다

041 병원

042 극장

043 환자

044 하이킹하다

045 눈이 먼

046 추운, 감기

047 장식하다

048 조깅하다

049 **prevent**

050 **medicine**

051 **colorful**

052 **kick**

053 **firework**

054 **free**

055 **fantastic**

056 **pull**

057 **watch**

058 **paint**

059 **mental**

060 **hang**

061 **stretch**

062 공연

063 노력하다, 시도하다

064 부활절

065 타다

066 영화

067 풍선

068 줄넘기

069 전통

070 운동하다

071 버릇, 습관

072 병, 질병

073 찢다, 눈물

074 구부리다

075 physical

076 national

077 pain

078 wound

079 treat

080 catch

081 point

082 witch

083 action

084 condition

085 nod

086 fever

087 blow out

088 칠면조

089 부상을 입히다

090 호박

091 균형

092 두통

093 냄새를 맡다

094 고르다, 꺾다

095 핼러윈

096 마시다, 음료

097 죽음

098 움직이다, 이사하다

099 콧물

100 추수 감사절

DAY 26

여가생활

여행

501 **travel**
[trǽvəl]

동 **여행하다** 명 **여행**

travel around the world 세계를 여행하다

My parents didn't agree with my travel plans.
부모님은 내 여행 계획에 동의하지 않으셨다.

502 **arrive**
[əráiv]

동 **도착하다**

arrive on time 정시에 도착하다

We must arrive at the airport by 3.
우리는 3시까지 공항에 도착해야 한다.

503 **depart**
[dipɑ́ːrt]

동 **떠나다, 출발하다** **departure** 명 출발

depart for ~을 향해 떠나다

The plane to New York will depart at 2:00.
뉴욕행 비행기는 2시에 출발한다.

504 **airport**
[ɛ́ərpɔ̀ːrt]

명 **공항**

at an airport 공항에서

We reached the airport on time.
우리는 제 시간에 공항에 도착했다.

505 **flight**
[flait]

명 **비행, 항공편**

the flight from Paris 파리에서 오는 항공편

He's leaving on the London flight.
그는 런던행 비행기로 떠난다.

'해변, 섬'과 같은 여행지와 '떠나다, 도착하다, 탐험하다'와 같이 여행과 관련된 여러 가지 표현을 어떻게 영어로 나타내는지 알아볼까요?

506 **famous**
[féiməs]

형 **유명한**

be **famous** for ~로 유명하다

Paris is **famous** for the Eiffel Tower.
파리는 에펠탑으로 유명하다.

507 **passport**
[pǽspɔːrt]

명 **여권**

a **passport** photo 여권 사진

May I see your **passport** and ticket?
당신의 여권과 표를 보여 주시겠어요?

508 **beach**
[biːtʃ]

명 **해변, 바닷가**

walk on a **beach** 해변을 걷다

They are relaxing at the **beach**.
그들은 해변에서 쉬고 있다.

509 **scenery**
[síːnəri]

명 **경치, 풍경**

the beautiful **scenery** 아름다운 경치

The **scenery** of the city is beautiful.
그 도시의 풍경은 아름답다.

510 **country**
[kʌ́ntri]

명 1. **나라** 2. **시골**

Asian **countries** 아시아 국가들

I'd like to live in the **country**.
나는 시골에서 살고 싶다.

511 island [áilənd]

명 섬

an **island** country 섬나라

I was on a vacation on a warm, sunny **island**.
나는 따뜻하고 햇빛 비치는 섬에서 휴가 중이었다.

512 explore [ikspl5ːr]

동 탐험하다

explore the jungle 정글을 탐험하다

I'm happy to **explore** this cave.
나는 이 동굴을 탐험하게 되어 기쁘다.

513 foreign [fɔ́ːrin]

형 외국의

a **foreign** language 외국어

Have you ever traveled to a **foreign** country?
외국으로 여행을 가 본 적이 있니?

514 board [bɔːrd]

명 판자, 게시판 동 탑승하다

a bulletin **board** 게시판

Many people are **boarding** the ship.
많은 사람들이 승선하고 있다.

515 strange [streindʒ]

형 이상한, 낯선

strange to say 이상한 말이지만

He went here and there in the **strange** city.
그는 낯선 도시에서 이곳 저곳을 돌아다녔다.

516 **tour**
[tuər]

명 **여행, 관광**

a **tour** bus 관광 버스

The **tour** begins at 10:00 a.m.
관광은 오전 10시에 시작된다.

517 **experience**
[ikspí(ː)əriəns]

명 **경험** 동 **경험하다**

learn by **experience** 경험을 통해 배우다

We **experienced** different cultures while traveling.
우리는 여행하면서 다른 문화들을 경험했다.

518 **unique**
[juːníːk]

형 **유일한, 독특한**

unique culture 독특한 문화

His work was beautiful and **unique**.
그의 작품은 아름답고 독특했다.

519 **reserve**
[rizə́ːrv]

동 **예약하다** **reservation** 명 **예약**

reserve a room 객실을 예약하다

I'd like to **reserve** a table for five.
다섯 명 식사할 자리를 예약하고 싶어요.

520 **during**
[djú(ː)əriŋ]

전 **~ 동안**

during the vacation 방학 동안

What did you do **during** the holiday?
휴가 동안 뭐했니?

DAILY TEST DAY 26

여가생활

여행

A 영어는 우리말로, 우리말은 영어로 바꾸세요.

1 travel	....	11 외국의	....
2 board	....	12 여권	....
3 strange	....	13 섬	....
4 experience	....	14 공항	....
5 arrive	....	15 해변	....
6 reserve	....	16 경치, 풍경	....
7 unique	....	17 출발하다	....
8 during	....	18 비행, 항공편	....
9 tour	....	19 나라, 시골	....
10 famous	....	20 탐험하다	....

B 주어진 우리말을 참고하여 어구를 완성하세요.

1 객실을 예약하다 .... a room

2 경험을 통해 배우다 learn by ....

3 ~로 유명하다 be .... for

4 외국어 a(n) .... language

5 게시판 a bulletin ....

C 우리말에 맞게 빈칸을 채워 문장을 완성하세요.

1 이 영화는 창의적이고 독특하다.

This movie is creative and ______________.

2 우리는 그 산의 아름다운 경치를 즐기고 있다.

We are enjoying the beautiful ______________ of the mountain.

3 나는 세계를 여행하고 싶다.

I want to ______________ around the world.

4 그들은 해변을 걷고 있다.

They are walking on the ______________.

5 나는 공항에서 사촌을 데려와야 한다.

I have to pick up my cousin at the ______________.

D 빈칸에 알맞은 단어를 골라 쓰세요.

tour	depart	country	explore

1 Is city life better than ______________ life?

2 The tourists are getting on the ______________ bus.

3 The plane will ______________ for Paris at 1:00 p.m.

4 I want to ______________ the jungle someday.

DAY 27

여가생활

운동/스포츠

521 **play** [plei]

동 1. 놀다 2. 경기하다 3. 연주하다

play tennis 테니스 하다

My sister is playing the piano.
여동생은 피아노를 연주하고 있다.

522 **team** [tiːm]

명 팀, 단체

team work 팀워크, 단체 정신

He is the fastest player on the team.
그는 팀에서 가장 빠른 선수이다.

523 **victory** [víktəri]

명 승리

win a victory 승리를 거두다

He led his team to victory.
그는 팀을 승리로 이끌었다.

524 **baseball** [béisbɔ̀ːl]

명 야구

a baseball player 야구 선수

My dad was a captain of the baseball team.
아빠는 야구부 주장이었다.

525 **soccer** [sákər]

명 축구

a soccer team 축구팀

Soccer is one of the most popular sports.
축구는 가장 인기 있는 운동 중 하나이다.

526 **basketball**
[bǽskitbɔ̀ːl]

명 **농구**

a **basketball** game 농구 시합

Do you usually play **basketball** after school?
너는 방과 후에 주로 농구를 하니?

527 **shoot**
[ʃuːt]

shoot-shot-shot

동 1. **(총을) 쏘다** 2. **슛을 하다, (득점을) 올리다**

shoot down 총으로 쏘아 넘어뜨리다

The player is **shooting** a ball toward the goal.
그 선수는 골대를 향해 공을 차고 있다.

528 **goalkeeper**
[góulkìːpər]

명 **골키퍼**

play **goalkeeper** 골키퍼를 맡다

Only the **goalkeeper** can use his hands.
오직 골키퍼만이 손을 사용할 수 있다.

529 **group**
[gruːp]

명 **무리, 집단**

a **group** activity 집단 활동

A **group** of people are watching the game.
한 무리의 사람들이 그 경기를 보고 있다.

530 **table tennis**

명 **탁구**

a **table tennis** racket 탁구채

I like to play **table tennis** with my friends.
나는 친구들과 탁구 치는 것을 좋아한다.

DAY 27

531 **final**
[fáinəl]

형 마지막의 명 결승전

the **final** stage 마지막 단계

My wish is to run in the **finals**.
내 소원은 결승전에서 뛰는 것이다.

532 **match**
[mætʃ]

명 1. 성냥 2. 경기, 시합 동 어울리다

a box of **matches** 성냥 한 갑

Our team is leading the soccer **match**.
우리 팀이 축구 경기에서 이기고 있다.

533 **coach**
[koutʃ]

명 코치

a basketball **coach** 농구 코치

My uncle is a tennis **coach**.
우리 삼촌은 테니스 코치다.

534 **skill**
[skil]

명 기술, 기량

learn a **skill** 기술을 배우다

Golf is a game of **skill**.
골프는 기술을 요하는 경기이다.

535 **against**
[əgénst]

전 ~에 반대하여, ~에 대항하여

play a match **against** ~와 시합하다

We played soccer **against** the Japanese team.
우리는 일본 팀과 맞서 축구 시합을 했다.

536 **ticket**
[tíkit]

명 **표, 입장권**

a **ticket** office 매표소

I have two baseball **tickets**.
나는 야구 경기 표 두 장을 가지고 있다.

537 **referee**
[rèfərí:]

명 **심판**

a chief **referee** 주심

The **referee** has stopped the game.
심판이 경기를 중단시켰다.

538 **champion**
[tʃǽmpiən]

명 **우승자, 챔피언**

the world wrestling **champion** 세계 레슬링 챔피언

She is the world's figure skating **champion**.
그녀는 피겨 스케이팅 세계 선수권대회 우승자이다.

539 **crowd**
[kraud]

명 **군중, 무리**

a **crowd** of 많은

A **crowd** of soccer fans gathered at the stadium.
많은 축구 팬들이 경기장에 모였다.

540 **swim**
[swim]

swim-swam-swum

동 **수영하다, 헤엄치다**

go **swimming** 수영하러 가다

I like to go **swimming** in a river.
나는 강에 수영하러 가는 것을 좋아한다.

DAILY TEST DAY 27 여가생활

운동/스포츠

A 영어는 우리말로, 우리말은 영어로 바꾸세요.

1 shoot ....

2 match ....

3 group ....

4 play ....

5 soccer ....

6 crowd ....

7 skill ....

8 victory ....

9 coach ....

10 team ....

11 마지막의, 결승전 ....

12 야구 ....

13 골키퍼 ....

14 탁구 ....

15 농구 ....

16 표, 입장권 ....

17 ~에 반대하여 ....

18 우승자, 챔피언 ....

19 수영하다 ....

20 심판 ....

B 주어진 우리말을 참고하여 어구를 완성하세요.

1 수영하러 가다 go ....

2 매표소 a(n) .... office

3 팀워크 .... work

4 마지막 단계 the .... stage

5 세계 레슬링 챔피언 the world wrestling ....

C 우리말에 맞게 빈칸을 채워 문장을 완성하세요.

1 나의 아들은 한국 골키퍼로 뛰고 있다.
My son plays as a Korean ____________.

2 나는 탁구 모임에 가입할 것이다.
I will join the ____________ club.

3 그는 내가 가장 좋아하는 야구 선수다.
He is my favorite ____________ player.

4 우리는 방과 후에 축구를 할 것이다.
We are going to play ____________ after school.

5 코치는 우리에게 "너희는 최선을 다했어."라고 말했다.
The ____________ told us "You did your best."

D 빈칸에 알맞은 단어를 골라 쓰세요. (필요하면 형태를 바꾸세요.)

victory	against	skill	referee

1 The soccer players need ball ____________.

2 The ____________ blew his whistle to stop the game.

3 One more ____________ and they have won the series.

4 Korea is going to play a match ____________ France tonight.

DAY 28

장소와 교통

장소/길 묻기

541 **street**
[striːt]

명 **거리, 도로**

on the main **street** 큰길에, 대로에

The church is quite a way off the **street**.
그 교회는 길에서 멀찍이 떨어져 있다.

542 **building**
[bíldiŋ]

명 **건물** **build** 동 짓다

a historic **building** 역사적인 건물

What is next to the **building**?
그 건물 옆에는 무엇이 있나요?

543 **bank**
[bæŋk]

명 **은행**

a **bank** clerk 은행원

Is there a **bank** nearby?
근처에 은행이 있나요?

544 **post office**

명 **우체국**

the main **post office** 중앙 우체국

Which way is the **post office**?
우체국은 어느 쪽인가요?

545 **corner**
[kɔ́ːrnər]

명 **모퉁이, 구석**

on the **corner** 모퉁이에

There is a hotel on the **corner**.
모퉁이에 호텔이 하나 있다.

546 **near**
[niər]

형 **가까운**

near one's house ~의 집에서 가까운

Do you live **near** here?
여기에서 가까운 곳에 사니?

547 **restaurant**
[réstərənt]

명 **식당, 레스토랑**

a fast food **restaurant** 패스트푸드 식당

The Italian **restaurant** is on the second floor.
그 이탈리아 식당은 2층에 있다.

548 **turn**
[təːrn]

동 **돌다, 돌리다** 명 **돌기**

turn left 왼쪽으로 돌다

Make a right **turn** at the corner.
모퉁이에서 우회전해라.

549 **city**
[síti]

명 **도시**

city hall 시청

Is there a bus into the **city**?
시내로 들어가는 버스가 있나요?

550 **block**
[blɑk]

명 **구획, 블록** 동 **막다, 차단하다**

go straight two **blocks** 두 블록을 곧장 가다

Many roads are still **blocked**.
많은 도로가 아직 통행이 안 된다.

DAY
28

551 **fire station**

명 **소방서**

call the fire station 소방서에 전화하다

The fire station is next to the post office.
소방서는 우체국 옆에 있다.

552 **bakery**
[béikəri]

명 **빵집, 제과점**

open up a bakery 빵집을 열다

The bookstore is just next to the bakery.
서점은 빵집 바로 옆에 있다.

553 **find**
[faind]

find-found-found

동 **찾다, 발견하다**

find your way to ~로 가는 바른 길을 찾다

How can I find the hospital?
병원에 어떻게 찾아가면 되나요?

554 **left**
[left]

형 **왼쪽의** 명 **왼쪽**

on your left 당신의 왼쪽에

The bank is on the left side of the supermarket.
은행은 슈퍼마켓 왼쪽 편에 있다.

555 **distant**
[dístənt]

형 **먼, 멀리 떨어져 있는** **distance** 명 거리

distant stars 먼 곳에 있는 별들

This town is 40 miles distant from Chicago.
이 마을은 시카고에서 40마일 거리다.

556 **town**
[taun]

명 **마을, 동네**

a university **town** 대학가

She lives in a small **town**.
그녀는 작은 마을에 살고 있다.

557 **exit**
[éksit, égzit]

명 **출구** 동 **나가다, 퇴장하다**

go out **exit** 5 5번 출구로 나가다

Please **exit** the hall by the side doors.
옆문으로 강당에서 나가세요.

558 **far from**

~에서 멀리

The bank is not **far from** here.
은행은 여기서 멀지 않다.

559 **in front of**

~의 앞에

Shall we meet **in front of** the subway station?
지하철역 앞에서 만날까?

560 **get to**

~에 도착하다

How can I **get to** the park?
공원에 어떻게 갈 수 있나요?

DAILY TEST DAY 28

장소와 교통

장소/길 묻기

A 영어는 우리말로, 우리말은 영어로 바꾸세요.

1 town ....

2 find ....

3 near ....

4 get to ....

5 building ....

6 distant ....

7 turn ....

8 city ....

9 street ....

10 far from ....

11 식당 ....

12 우체국 ....

13 출구, 나가다 ....

14 빵집 ....

15 은행 ....

16 ~의 앞에 ....

17 왼쪽의 ....

18 구획, 막다 ....

19 모퉁이 ....

20 소방서 ....

B 주어진 우리말을 참고하여 어구를 완성하세요.

1 여기서 먼 .... here

2 시청 .... hall

3 모퉁이에 on the ....

4 역사적인 건물 a historic ....

5 소방서에 전화하다 call the ....

C 우리말에 맞게 빈칸을 채워 문장을 완성하세요.

1 두 블록 곧장 가세요.
Go straight two ______________.

2 우리 집 근처에 공원이 있다.
There is a park ______________ my house.

3 모퉁이에서 오른쪽으로 도세요.
______________ right at the corner.

4 당신의 왼쪽에 도서관이 있어요.
You will see the library on your ______________.

5 극장 앞에서 만나자.
Let's meet ______________ the theater.

D 빈칸에 알맞은 단어를 골라 쓰세요.

exit	find	street	distant

1 I can ______________ the way to the bakery.

2 The city is three hours ______________ from Seoul.

3 Traffic was slow on the main ______________ this evening.

4 Take the subway to Gangnam, and go out ______________ 6.

DAY

29

장소와 교통

교통

561 **drive**
[draiv]

drive-drove-driven

동 **운전하다** 명 **드라이브, 주행**

drive to work 운전해서 출근하다

It's a two-hour drive to Daejeon.
대전까지 차로 2시간 거리다.

562 **subway**
[sʌ́bwèi]

명 **지하철**

a subway station 지하철역

My father takes the subway to work.
아버지는 지하철을 타고 출근하신다.

563 **crosswalk**
[krɔ́(:)swɔ̀:k]

명 **건널목, 횡단보도**

at the crosswalk 건널목에서

Let's take this crosswalk.
이 횡단보도로 건너자.

564 **traffic**
[trǽfik]

명 **교통(량)**

a traffic light 신호등

I was late for school because of a traffic jam.
나는 교통 체증 때문에 학교에 늦었다.

565 **reach**
[ri:tʃ]

동 **도착하다, ~에 이르다**

reach Seoul 서울에 도착하다

The train is timed to reach Seoul at 3:00.
기차는 3시에 서울에 도착할 예정이다.

566 **leave**
[liːv]

leave-left-left

동 **떠나다, 출발하다**

leave for ~을 향해 떠나다

We should **leave** home at 3 o'clock.
우리는 3시에 집을 떠나야 한다.

567 **passenger**
[pǽsindʒər]

명 **승객**

a **passenger** boat 여객선

A **passenger** is getting out of the taxi.
한 승객이 택시에서 내리고 있다.

568 **road**
[roud]

명 **도로, 길**

a busy **road** 복잡한 도로

Cars drive on the right side of the **road**.
차들은 길의 오른쪽으로 달린다.

569 **wait**
[weit]

동 **기다리다**

wait for him 그를 기다리다

Please **wait** a moment.
조금만 기다려주세요.

570 **fasten**
[fǽsən]

동 **매다, 채우다**

fasten one's belt 허리띠를 매다

Don't forget to **fasten** your seat belt.
안전벨트 매는 것을 잊지 마라.

571 **transfer**
[trænsfə́ːr]

동 1. **이동하다** 2. **갈아타다**

transfer to another school 전학 가다

We need to transfer from the bus to the subway.
우리는 버스에서 지하철로 갈아타야 한다.

572 **across**
[əkrɔ́ːs]

부 전 **가로질러, 맞은편에**

across from ~의 맞은편에

There is a bakery across the way.
길 건너편에 빵집이 있다.

573 **speed**
[spiːd]

명 **속도**

speed limit 제한 속도

My dad drove his car at full speed.
우리 아빠는 전속력으로 차를 몰았다.

574 **miss**
[mis]

동 1. **놓치다** 2. **그리워하다**

miss a bus 버스를 놓치다

We love you, and we miss you.
우리는 너를 사랑하고 그리워한다.

575 **quickly**
[kwíkli]

부 **빨리, 빠르게** quick 형 빠른, 신속한

walk quickly 빨리 걷다

Come here as quickly as possible.
가능한 빨리 이리로 와라.

576 **accident**
[ǽksidənt]

명 **사고**

a car **accident** 자동차 사고

They were injured in a traffic **accident**.
그들은 교통사고로 부상을 당했다.

577 **bridge**
[bridʒ]

명 **다리, 교량**

a **bridge** over the river 강 위의 다리

Turn right after the **bridge**.
다리 건너서 우회전하세요.

578 **station**
[stéiʃən]

명 **역, 정거장**

a train **station** 기차역

Which **station** do I transfer at?
어느 역에서 갈아타야 하나요?

579 **highway**
[háiwèi]

명 **고속도로**

a toll-free **highway** 무료 고속도로

He is driving on the **highway**.
그는 고속도로에서 운전하고 있다.

580 **cross**
[krɔ(:)s]

명 **십자(가)** 동 **건너다, 횡단하다**

Red **Cross** 적십자

Be careful when you **cross** the street.
길을 건널 때 조심해라.

DAILY TEST DAY 29 장소와 교통

교통

A 영어는 우리말로, 우리말은 영어로 바꾸세요.

1 miss ....
2 drive ....
3 reach ....
4 across ....
5 fasten ....
6 road ....
7 quickly ....
8 cross ....
9 leave ....
10 transfer ....
11 다리, 교량 ....
12 지하철 ....
13 속도 ....
14 고속도로 ....
15 횡단보도 ....
16 승객 ....
17 역, 정거장 ....
18 사고 ....
19 교통(량) ....
20 기다리다 ....

B 주어진 우리말을 참고하여 어구를 완성하세요.

1 자동차 사고 a car ....
2 제한 속도 .... limit
3 복잡한 도로 a busy ....
4 신호등 a(n) .... light
5 여객선 a(n) .... boat

C 우리말에 맞게 빈칸을 채워 문장을 완성하세요.

1 공원은 호텔 맞은편에 있다.
The park is ________ from the hotel.

2 그의 차는 고속도로에서 고장이 났다.
His car broke down in the middle of the ________.

3 횡단보도로 길을 건너자.
Let's cross at the ________.

4 도로가 다리 아래로 나 있다.
The road passes under the ________.

5 술을 마시고 운전하는 것은 범죄이다.
It's criminal to drink and ________.

D 빈칸에 알맞은 단어를 골라 쓰세요.

wait	miss	transfer	fasten

1 Please ________ your seat belt.

2 Don't start yet. ________ for the light.

3 If you ________ that bus, you have to take a taxi.

4 ________ from the bus to the subway at this stop.

DAY 30

경제생활

물건 사기

581 **buy**
[bai]

buy-bought-bought

동 **사다, 구입하다**

buy a skirt 치마를 사다

Where did you buy the bag?
너는 그 가방을 어디에서 샀니?

582 **want**
[wɑnt]

동 **원하다**

want to know 알고 싶어하다

My dad wants to buy a new car.
우리 아빠는 새 차를 사고 싶어 하신다.

583 **have**
[hæv]

have-had-had

동 1. **가지고 있다** 2. **먹다, 마시다**

have much money 많은 돈을 갖고 있다

She had a hamburger for lunch yesterday.
그녀는 어제 점심으로 햄버거 하나를 먹었다.

584 **need**
[niːd]

동 **필요로 하다**

need some cheese 약간의 치즈를 필요로 하다

I need some milk and honey.
우유와 꿀이 좀 필요하다.

585 **list**
[list]

명 **목록, 명단**

a waiting list 대기자 명단

That's already on my shopping list.
그건 이미 내 쇼핑 목록에 있다.

586 **pair**
[pɛər]

명 **쌍**

a **pair** of earrings 귀고리 한 쌍

She is buying a **pair** of shoes.
그녀는 신발 한 켤레를 사고 있다.

587 **bottle**
[bátl]

명 **병**

a milk **bottle** 우유병

Did you buy a **bottle** of juice yesterday?
너는 어제 주스 한 병을 샀니?

588 **half**
[hæf]

명 **반, 절반**

in **half** 반으로

Do you have these shoes in size five and a **half**?
이 신발로 5.5 사이즈 있나요?

589 **market**
[mɑ́:rkit]

명 **시장**

a flea **market** 벼룩시장

My mom is shopping at the **market**.
엄마는 시장에서 물건을 사고 있다.

590 **department store**

명 **백화점**

the sale at the **department store** 백화점 세일

The **department store** has a sale on jeans.
그 백화점은 청바지를 할인 판매하고 있다.

DAY
30

591 **piece**
[piːs]

명 **조각**

a piece of paper 종이 한 장

My brother ate three pieces of cake.
나의 형은 케이크 세 조각을 먹었다.

592 **model**
[mάdəl]

명 1. **모형** 2. **(상품의) 모델, 디자인**

a model airplane 모형 비행기

This smart phone is the most popular model.
이 스마트폰이 가장 인기 있는 모델이다.

593 **grocery**
[gróusəri]

명 **식료품**

a grocery store 식료품점

I need to get some grocery shopping done.
나는 장을 좀 봐야 할 게 있다.

594 **another**
[ənʌ́ðər]

형 **또 하나의, 다른** 대 **또 하나의 것(사람)**

in another size 다른 치수의

This cookie is delicious. May I have another?
이 쿠키는 맛있네요. 하나 더 먹어도 될까요?

595 **wrap**
[ræp]

동 **싸다, 포장하다**

wrap a gift 선물을 포장하다

Would you wrap the scarf as a gift?
스카프를 선물용으로 포장해 주시겠어요?

596 **take**
[teik]

take-took-taken

동 1. 가지고 가다 2. 선택하다, 사다

take a gift 선물을 가지고 가다

This blue shirt looks nice. I'll **take** it.
이 파란 셔츠가 멋지네요. 그것을 살게요.

597 **deliver**
[dilívər]

동 배달하다 **delivery** 명 배달

deliver milk 우유를 배달하다

Can you **deliver** this computer to my house?
이 컴퓨터를 저희 집으로 배달해 주시겠어요?

598 **brand-new**
[brǽndnuː]

형 신품의, 아주 새로운

a **brand-new** watch 새로 나온 시계

I like the **brand-new** notebook computer.
나는 새로 나온 노트북 컴퓨터가 마음에 든다.

599 **look for**

찾다

I am **looking for** a ring for my mom.
저는 엄마를 위한 반지를 찾고 있어요.

600 **go shopping**

물건을 사러 가다(쇼핑하러 가다)

I will **go shopping** for clothes with my friend.
나는 친구와 옷을 사러 갈 것이다.

DAILY TEST DAY 30 경제생활

물건 사기

A 영어는 우리말로, 우리말은 영어로 바꾸세요.

1 want ....
2 need ....
3 another ....
4 brand-new ....
5 piece ....
6 go shopping ....
7 buy ....
8 take ....
9 have ....
10 look for ....
11 식료품 ....
12 반, 절반 ....
13 병 ....
14 백화점 ....
15 싸다, 포장하다 ....
16 배달하다 ....
17 쌍 ....
18 시장 ....
19 모형, 모델 ....
20 목록 ....

B 주어진 우리말을 참고하여 어구를 완성하세요.

1 우유를 배달하다 .... milk
2 모형 비행기 a(n) .... airplane
3 대기자 명단 a waiting ....
4 종이 한 장 a(n) .... of paper
5 반으로 in ....

C 우리말에 맞게 빈칸을 채워 문장을 완성하세요.

1 샌드위치를 만들려면 약간의 치즈가 필요하다.

We ______ some cheese to make sandwiches.

2 나는 여동생을 위해 인형을 사길 원한다.

I ______ to buy a doll for my little sister.

3 나는 콘서트를 위해 드레스를 사야 한다.

I must ______ a dress for the concert.

4 새로 나온 가방을 찾고 있어요.

I'm looking for a(n) ______ bag.

5 내일 백화점 세일이 시작될 것이다.

The sale at the ______ will start tomorrow.

D 빈칸에 알맞은 단어를 골라 쓰세요.

another	wrap	pair	grocery

1 Please ______ this necklace as a gift.

2 Do you have this sweater in ______ size?

3 I have to go to the ______ store for some flour.

4 I would like to buy a(n) ______ of earrings for my sister.

누적 TEST 6 주차 DAY 26-30

001 **arrive**

002 **wait**

003 **another**

004 **accident**

005 **travel**

006 **town**

007 **corner**

008 **skill**

009 **bottle**

010 **buy**

011 **street**

012 **passenger**

013 **배달하다**

014 **지하철**

015 **왼쪽의**

016 **운전하다**

017 **가까운**

018 **이상한, 낯선**

019 **야구**

020 **은행**

021 **예약하다**

022 **구획, 막다**

023 **역, 정거장**

024 **군중, 무리**

025 country

026 reach

027 want

028 across

029 depart

030 victory

031 board

032 find

033 fasten

034 look for

035 in front of

036 far from

037 수영하다

038 시장

039 고속도로

040 섬

041 우승자, 챔피언

042 반, 절반

043 식당

044 속도

045 교통(량)

046 공항

047 경험하다

048 골키퍼

049 **road**

050 **play**

051 **famous**

052 **turn**

053 **miss**

054 **quickly**

055 **during**

056 **distant**

057 **flight**

058 **bridge**

059 **group**

060 **tour**

061 **go shopping**

062 **표, 입장권**

063 **십자가, 건너다**

064 **축구**

065 **도시**

066 **여권**

067 **코치**

068 **건물**

069 **성냥, 시합**

070 **마지막의, 결승전**

071 **농구**

072 **백화점**

073 **이동하다, 갈아타다**

074 **쏘다, 슛을 하다**

075 leave

076 team

077 beach

078 foreign

079 grocery

080 pair

081 exit

082 have

083 scenery

084 get to

085 take

086 brand-new

087 unique

088 싸다, 포장하다

089 조각

090 횡단보도

091 ~에 반대하여

092 빵집

093 우체국

094 심판

095 모형, 모델

096 탁구

097 탐험하다

098 필요로 하다

099 소방서

100 목록

DAY 31

경제생활

물건 사기

601 **pay**
[pei]

동 **지불하다** 명 **급료, 보수**

pay for dinner 저녁 값을 지불하다

The pay is $5 for every hour.
보수는 시간당 5달러이다.

602 **cost**
[kɔ(:)st]

명 **값, 비용** 동 **(cost-cost-cost) (비용이) ~이다(들다)**

the cost of living 생활비

How much does this bag cost?
이 가방은 얼마입니까?

603 **price**
[prais]

명 **값, 가격**

the price of milk 우유 가격

What's the price of this cap?
이 모자의 가격은 얼마예요?

604 **low**
[lou]

형 **낮은**

at a low price 낮은 가격에

I bought this scarf at a low price.
나는 낮은 가격에 이 스카프를 샀다.

605 **money**
[mʌ́ni]

명 **돈**

save money 돈을 저축하다

He shined shoes to make money.
그는 돈을 벌기 위해 구두를 닦았다.

606 **bill** [bil]

명 1. **청구서, 계산서** 2. **지폐**

ask for the **bill** 계산서를 갖다 달라고 하다

I put a ten-dollar **bill** on the counter.
나는 10달러짜리 지폐를 계산대 위에 올려놓았다.

607 **coin** [kɔin]

명 **동전**

a **coin** counting machine 동전 교환기

I picked up a **coin** on my way home.
나는 집에 오는 길에 동전을 주웠다.

608 **cash** [kæʃ]

명 **현금, 현찰**

in **cash** 현금으로

This vending machine only accepts **cash**.
이 자판기는 오직 현금만 받는다.

609 **spend** [spend]

spend-spent-spent

동 **(돈, 시간을) 쓰다, 소비하다**

spend money on books 책을 사는 데 돈을 쓰다

She **spends** a lot of money on clothing.
그녀는 옷을 사는 데 많은 돈을 쓴다.

610 **change** [tʃeindʒ]

동 **변하다, 바꾸다** 명 **거스름돈**

change the way 방식을 바꾸다

I got one dollar in **change**.
나는 거스름돈으로 1달러를 받았다.

DAY 31

611 **sell**
[sel]

sell-sold-sold

동 **팔다, 팔리다**

sell out 다 팔리다(매진되다)

We sell bananas at the lowest prices.
우리는 가장 싼 가격에 바나나를 판다.

612 **tax**
[tæks]

명 **세금**

collect taxes 세금을 징수하다

They put a tax on some foods.
그들은 몇몇의 음식에 세금을 부과했다.

613 **trade**
[treid]

명 **거래, 무역** 동 1. **거래하다** 2. **교환하다**

fair trade 공정 거래

How about trading mine for yours?
내 것을 네 것과 맞바꾸는 것이 어때?

614 **clerk**
[kləːrk]

명 **직원, 점원**

a sales clerk 판매원

A clerk walked up to me.
점원이 나에게 다가왔다.

615 **goods**
[gudz]

명 **상품, 제품**

the price of goods 상품의 가격

The goods are for sale at a low price.
그 제품은 저렴한 가격에 판매 중이다.

616 **cheap**
[tʃiːp]

형 **값이 싼**

cheap goods 값이 싼 물건

The vegetables from this market are **cheap**.
이 시장에서 파는 채소들은 싸다.

617 **expensive**
[ikspénsiv]

형 **비싼**

an **expensive** car 비싼 차

This store is very **expensive**.
이 상점은 아주 비싸다.

618 **discount**
[diskáunt]

명 **할인**

get a **discount** 할인을 받다

Is there a **discount** with this card?
이 카드를 사용하면 할인을 받을 수 있나요?

619 **credit card**

명 **신용 카드**

pay by **credit card** 신용 카드로 지불하다

She used her **credit card** to pay for dinner.
그녀는 신용 카드로 저녁값을 지불했다.

620 **customer**
[kʌ́stəmər]

명 **손님, 고객**

a regular **customer** 단골 손님

Where is the **customer** service center?
고객 서비스 센터가 어디에 있나요?

DAILY TEST DAY 31

경제생활
물건 사기

A 영어는 우리말로, 우리말은 영어로 바꾸세요.

1 cost ....
2 low ....
3 trade ....
4 cheap ....
5 pay ....
6 goods ....
7 money ....
8 spend ....
9 discount ....
10 sell ....
11 세금 ....
12 동전 ....
13 현금 ....
14 고객 ....
15 신용 카드 ....
16 가격 ....
17 계산서, 지폐 ....
18 거스름돈 ....
19 비싼 ....
20 직원, 점원 ....

B 주어진 우리말을 참고하여 어구를 완성하세요.

1 단골 손님 a regular ....
2 판매원 a sales ....
3 공정 거래 fair ....
4 세금을 징수하다 collect ....
5 동전 교환기 a(n) .... counting machine

C 우리말에 맞게 빈칸을 채워 문장을 완성하세요.

1 그들은 우유 가격을 올렸다.

They raised the ______ of milk.

2 오늘 밤은 내가 저녁값을 지불할 것이다.

I'll ______ for dinner tonight.

3 이 책들은 할인을 받을 수 있다.

You can get a ______ on these books.

4 서울은 생활비가 많이 든다.

The ______ of living is high in Seoul.

5 나는 그 비싼 시계를 사고 싶다.

I want to buy the ______ watch.

D 빈칸에 알맞은 단어를 골라 쓰세요. (필요하면 형태를 바꾸세요.)

spend	cheap	sell	cash

1 Will you pay in ______ or by credit card?

2 My sister ______ a lot of money on books last month.

3 My mom always buys ______ goods at the market.

4 The book was ______ out so I couldn't buy it.

DAY

32 장래 희망과 직업

직업

621 **career**
[kəríər]

명 1. 직업 2. 경력

a teaching **career** 교직

He has a **career** in teaching English.
그는 영어 교사로 일한 경력이 있다.

622 **dentist**
[déntist]

명 치과 의사

go to the **dentist** 치과에 가다

The **dentist** pulled out my tooth.
치과 의사가 내 이를 뽑았다.

623 **cashier**
[kæʃíər]

명 출납원, 계산원

a **cashier** at a counter 계산대에 있는 계산원

The **cashier** is counting the money.
계산원이 돈을 세고 있다.

624 **inventor**
[invéntər]

명 발명가 invent 동 발명하다

a great **inventor** 위대한 발명가

Who is the **inventor** of the telephone?
전화를 발명한 사람은 누구니?

625 **scientist**
[sáiəntist]

명 과학자

a space **scientist** 우주 과학자

I want to be a **scientist** and make robots.
나는 과학자가 되어 로봇을 만들고 싶다.

'교수, 의사, 건축가, 군인, 조종사, 발명가, 농부'와 같은 다양한 직업은 어떻게 영어로 나타낼까요?

626 **architect**
[á:rkitèkt]

명 **건축가** **architecture** 명 건축학

a world-famous **architect** 세계적으로 유명한 건축가

The **architect** is drawing up plans.
건축가가 설계도를 그리고 있다.

627 **professor**
[prəfésər]

명 **교수**

a law **professor** 법학 교수

My uncle is a history **professor**.
삼촌은 역사학 교수이다.

628 **surgeon**
[sə́:rdʒən]

명 **외과 의사**

a plastic **surgeon** 성형외과 의사

His father works as a heart **surgeon**.
그의 아버지는 심장외과 의사로 일하신다.

629 **lawyer**
[lɔ́:jər]

명 **변호사**

a **lawyer**'s office 변호사 사무실

The **lawyer** gave her some advice.
그 변호사는 그녀에게 몇 가지 조언을 해주었다.

630 **judge**
[dʒʌdʒ]

명 **판사** 동 **판단하다, 재판하다**

a High Court **judge** 고등 법원 판사

You can't **judge** a book by its cover.
[속담] 겉보기로 속을 판단해서는 안 된다.

631 author [ɔ́:θər]

명 **작가, 저자**

a name author 일류 작가

He is the author of many books.
그는 많은 책을 쓴 작가이다.

632 artist [ɑ́:rtist]

명 **화가, 예술가**

a graphic artist 그래픽 아티스트

My favorite artist is Van Gogh.
내가 좋아하는 화가는 반 고흐다.

633 chef [ʃef]

명 **요리사**

the chef's special today 오늘의 주방장 특선 요리

He was born to be a chef.
그는 타고난 요리사였다.

634 detective [ditéktiv]

명 **형사, 탐정**

a detective story 탐정(추리) 소설

The detective is looking for clues.
형사는 단서를 찾고 있다.

635 photographer [fətɑ́grəfər]

명 **사진작가, 사진사**

a fashion photographer 패션 사진작가

I want to be a nature photographer.
나는 자연을 찍는 사진작가가 되고 싶다.

636 **farmer**
[fɑ́ːrmər]

명 **농부, 농장주**

dairy **farmer** 낙농업자

The **farmer** is working in the field.
농부가 들에서 일을 한다.

637 **counselor**
[káunsələr]

명 **상담원, 고문**

a school **counselor** 학교 상담 교사

Talking to a **counselor** can help.
상담사에게 이야기하는 것이 도움이 된다.

638 **reporter**
[ripɔ́ːrtər]

명 **기자, 리포터** **report** 동 보도하다

a sports **reporter** 스포츠 기자

He is a **reporter** for the *Daily Times*.
그는 데일리 타임즈의 기자이다.

639 **soldier**
[sóuldʒər]

명 **군인, 병사**

a professional **soldier** 직업 군인

The **soldier** came back alive.
그 군인은 살아 돌아왔다.

640 **pilot**
[páilət]

명 **조종사, 비행사**

an airplane **pilot** 항공기 조종사

My father is a very skilled **pilot**.
우리 아빠는 매우 숙련된 조종사이다.

DAILY TEST DAY 32

장래 희망과 직업

직업

A 영어는 우리말로, 우리말은 영어로 바꾸세요.

1 photographer ....

2 cashier ....

3 chef ....

4 author ....

5 lawyer ....

6 soldier ....

7 artist ....

8 career ....

9 reporter ....

10 pilot ....

11 형사, 탐정 ....

12 발명가 ....

13 외과 의사 ....

14 건축가 ....

15 치과 의사 ....

16 상담원, 고문 ....

17 농부 ....

18 과학자 ....

19 교수 ....

20 판사, 판단하다 ....

B 주어진 우리말을 참고하여 어구를 완성하세요.

1 항공기 조종사 an airplane ....

2 교직 a teaching ....

3 탐정 소설 a(n) .... story

4 직업 군인 a professional ....

5 성형외과 의사 a plastic ....

C 우리말에 맞게 빈칸을 채워 문장을 완성하세요.

1 나는 스포츠 기자여서 많은 스포츠 스타들을 만난다.

I meet many sports stars as a sports ____________.

2 멧돼지 몇 마리가 농부의 농작물을 다 먹어 치웠다.

Some wild boars ate up the ____________'s crops.

3 나는 네가 상담사에게 이야기해야 할 것 같아.

I think you should talk to a(n) ____________.

4 여러분은 6개월마다 치과에 가야 합니다.

You have to go to the ____________ every six months.

5 그녀는 조언을 구하기 위해 변호사 사무실을 방문했다.

She visited her ____________'s office for advice.

D 빈칸에 알맞은 단어를 골라 쓰세요.

architect	inventor	chef	cashier

1 Thomas Edison was a great ____________.

2 A(n) ____________ at a counter took the items from my basket.

3 The famous ____________ designed that building.

4 The ____________'s special today is blueberry waffles.

DAY 33

장래 희망과 직업

장래 희망

641 **future** [fjúːtʃər]

명 **미래, 장래**

in the future 미래에

I've never thought about my future.
아직 내 미래에 대해 생각해 보지 않았다.

642 **ability** [əbíləti]

명 **능력** **able** 형 ~할 수 있는

communication ability 의사소통 능력

I want to have the ability to speak Chinese.
나는 중국어를 말할 수 있는 능력을 갖고 싶다.

643 **succeed** [səksíːd]

동 **성공하다** **success** 명 성공

succeed in life 출세하다

If you want to succeed, you should work hard.
성공하고 싶다면 열심히 일해야 한다.

644 **expect** [ikspékt]

동 **예상하다, 기대하다**

expect a good result 좋은 결과를 기대하다

We expect to hear good news from him.
우리는 그로부터 좋은 소식을 듣기를 기대한다.

645 **improve** [imprúːv]

동 **개선되다, 향상시키다**

improve one's grades 성적을 향상시키다

Do you need to improve your English?
영어 실력을 향상시키고 싶나요?

646 **life**
[laif]

명 **인생, 삶** **live** 동 살다

success in **life** 인생에서의 성공

Everyone wants to live a happy **life**.
모든 사람은 행복한 삶을 살고 싶어 한다.

647 **choose**
[tʃuːz]

choose-chose-chosen

동 **선택하다, 고르다** **choice** 명 선택

choose a job 직장을 선택하다

He helped me to **choose** the right path.
그는 내가 바른 길을 택하도록 도왔다.

648 **company**
[kʌ́mpəni]

명 1. **회사** 2. **친구**

a trading **company** 무역 회사

My father worked for 10 years at the **company**.
아버지는 그 회사에서 10년간 근무하셨다.

649 **factory**
[fǽktəri]

명 **공장**

factory workers 공장 노동자

The workers in the **factory** make cell phones.
그 공장의 노동자들은 휴대 전화를 만든다.

650 **office**
[ɔ́(ː)fis]

명 **사무실**

an **office** worker 사무직 근로자

I'll be in the **office** from 9 to 6 today.
나는 오늘 9시부터 6시까지 사무실에 있을 것이다.

651 **wise**
[waiz]

형 **지혜로운, 현명한** **wisdom** 명 지혜

a wise decision 현명한 결정

He is young, but he is very wise.
그는 젊지만 아주 현명하다.

652 **decide**
[disáid]

동 **결정하다** **decision** 명 결정

decide to work 일하기로 결정하다

I've decided what I'm going to do.
나는 앞으로 무엇을 해야 할지 결정했다.

653 **apply**
[əplái]

동 1. **지원하다** 2. **적용하다**

apply for a job 일자리에 지원하다

This rule is difficult to apply.
이 규칙은 적용하기 어렵다.

654 **interest**
[íntərəst]

명 1. **관심, 흥미** 2. **이자**

have an interest in ~에 관심이 있다

Interest is paid every six months.
이자는 6개월마다 지급된다.

655 **interview**
[íntərvjùː]

명 **면접** 동 **면접을 보다**

a job interview 취업 면접

The website gives you tips on interviewing.
그 웹사이트는 면접을 보는 데 필요한 조언을 제공한다.

656 **important**
[impɔ́ːrtənt]

[형] **중요한**

a very **important** person(VIP) 중요 인물

Listening is an **important** part of the job.
남의 말을 잘 듣는 것이 그 직업에는 중요한 부분이다.

657 **necessary**
[nésəsèri]

[형] **필요한, 필수적인**

necessary for ~을 위해 필요한

English ability is **necessary** for the job.
영어 실력은 그 직업에 필수적이다.

658 **creative**
[kriéitiv]

[형] **창의적인, 창조적인** **create** [동] 창조하다

a **creative** idea 창의적인 생각

Aren't you able to be more **creative**?
너는 조금 더 창의적일 수 없니?

659 **come true**

실현되다

I'm sure your dream will **come true**.
너의 꿈이 실현될 거라 확신한다.

660 **work for**

~에서 일하다

I want to **work for** a bank when I grow up.
나는 커서 은행에서 일하고 싶다.

DAILY TEST DAY 33

장래 희망과 직업

장래 희망

A 영어는 우리말로, 우리말은 영어로 바꾸세요.

1 expect ....

2 decide ....

3 necessary ....

4 improve ....

5 wise ....

6 choose ....

7 important ....

8 future ....

9 work for ....

10 come true ....

11 면접 ....

12 성공하다 ....

13 공장 ....

14 인생, 삶 ....

15 지원하다 ....

16 창의적인 ....

17 능력 ....

18 회사 ....

19 관심, 이자 ....

20 사무실 ....

B 주어진 우리말을 참고하여 어구를 완성하세요.

1 ~을 위해 필요한 .... for

2 사무직 근로자 a(n) .... worker

3 중요 인물 a very .... person

4 인생에서의 성공 success in ....

5 의사소통 능력 communication ....

C 우리말에 맞게 빈칸을 채워 문장을 완성하세요.

1 창의적인 생각은 우리의 삶을 더 좋게 만들 수 있다.

______ ideas can make our life better.

2 직장을 선택할 때 신중히 생각해야 한다.

You should think carefully when you ______ a job.

3 나는 내일 취업 면접을 볼 것이다.

I'm going to have a job ______ tomorrow.

4 아버지는 무역 회사에서 일하신다.

My father works for a trading ______.

5 나는 대학을 마친 후 외국에서 일하기로 결정했다.

I ______ to work abroad after finishing college.

D 빈칸에 알맞은 단어를 골라 쓰세요. (필요하면 형태를 바꾸세요.)

improve	interest	future	apply

1 My brother has a(n) ______ in art.

2 What do you want to be in the ______?

3 Lots of people ______ for the job last year.

4 If you want to ______ your grades, review every day.

DAY

34

자연

식물

661 **nature**
[néitʃər]

명 1. **자연** 2. **천성, 본질**

the laws of **nature** 자연의 법칙

It is his **nature** to be good.
그는 천성이 착하다.

662 **forest**
[fɔ́(:)rist]

명 **숲, 삼림**

a **forest** fire 산불

He enjoyed walking in the **forest**.
그는 숲 속에서 산책하는 것을 즐겼다.

663 **bloom**
[bluːm]

명 **꽃** 동 **꽃을 피우다**

be in full **bloom** 활짝 피어 있다

Many kinds of flowers **bloom** in spring.
많은 종류의 꽃들이 봄에 꽃을 피운다.

664 **lake**
[leik]

명 **호수**

swim across a **lake** 호수를 헤엄쳐 건너다

A swan is swimming in the **lake**.
한 마리 백조가 호수에서 헤엄치고 있다.

665 **river**
[rívə(r)]

명 **강**

the mouth of a **river** 강의 어귀

The **river** runs through the village.
강은 그 마을을 관통해서 흐른다.

666 **grass**
[græs]

명 **풀, 잔디(밭)**

walk on the **grass** 잔디를 밟다

Keep off the **grass**.
잔디밭에 들어가지 마시오.

667 **branch**
[bræntʃ]

명 1. **나뭇가지** 2. **지사, 분점**

on a tree **branch** 나뭇가지 위에

He works in a bank **branch**.
그는 은행 지점에서 일한다.

668 **root**
[ru(:)t]

명 **뿌리**

take **root** 뿌리를 내리다

The **roots** of this tree grow in water.
이 나무의 뿌리는 물에서 자란다.

669 **desert**
[dézərt]

명 **사막** 동 [dizə́ːrt] **버리다**

the Sahara **Desert** 사하라 사막

The houses have been **deserted**.
그 집들은 버려져 있었다.

670 **plant**
[plænt]

명 **식물, 나무** 동 **심다**

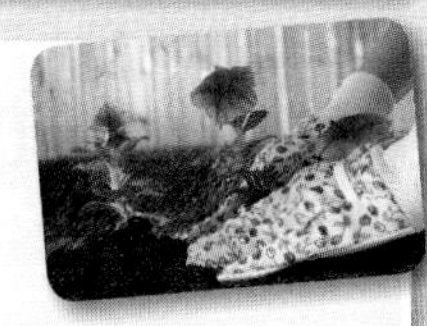

garden **plants** 정원 식물

My father is **planting** a tree in the garden.
아버지가 정원에 나무를 심고 계신다.

DAY 34

671 **stream** [striːm]

명 **개울, 시내**

a mountain stream 산 속의 개울

A stream flowed down into the valley.
개울이 계곡으로 흘러내려갔다.

672 **soil** [sɔil]

명 **토양, 흙**

poor soil 척박한 토양

This soil doesn't look too rich.
이 땅은 별로 기름진 것 같지 않다.

673 **bush** [buʃ]

명 **관목, 덤불**

a rose bush 장미 덤불

She scratched her hand on a rose bush.
그녀는 장미 덤불에 손을 할퀴었다.

674 **useful** [júːsfəl]

형 **유용한, 쓸모 있는**

useful in our lives 우리 삶에 유용한

These plants are useful for cleaning the air.
이 식물들은 공기 정화에 유용하다.

675 **breathe** [briːð]

동 **호흡하다, 숨을 쉬다** **breath** 명 숨, 호흡

breathe in 숨을 들이쉬다

I want to breathe fresh air.
나는 신선한 공기를 마시고 싶다.

676 **seed**
[si:d]

명 **씨, 씨앗**

put a **seed** in the ground 땅에 씨를 뿌리다

The **seed** grew into a huge tree.
그 씨앗은 큰 나무로 자랐다.

677 **destroy**
[distrɔ́i]

동 **파괴하다**

destroy nature 자연을 파괴하다

The ozone layer is being **destroyed**.
오존층은 파괴되고 있다.

678 **field**
[fi:ld]

명 1. **들판, 밭** 2. **분야**

in a **field** 들판에서

He is famous in the **field** of music.
그는 음악 분야에서 유명하다.

679 **wild flower**

명 **야생화**

filled with **wild flowers** 야생화로 가득한

Wild flowers bloomed on the road.
길에 야생화가 피었다.

680 **cut down**

베다

We **cut down** trees to make furniture.
우리는 가구를 만들기 위해 나무를 벤다.

DAILY TEST DAY 34 자연

식물

A 영어는 우리말로, 우리말은 영어로 바꾸세요.

1 useful ....
2 branch ....
3 bloom ....
4 destroy ....
5 plant ....
6 stream ....
7 field ....
8 cut down ....
9 breathe ....
10 grass ....
11 씨, 씨앗 ....
12 자연 ....
13 야생화 ....
14 강 ....
15 사막 ....
16 관목, 덤불 ....
17 뿌리 ....
18 숲, 삼림 ....
19 토양, 흙 ....
20 호수 ....

B 주어진 우리말을 참고하여 어구를 완성하세요.

1 척박한 토양 poor ....
2 잔디를 밟다 walk on the ....
3 사하라 사막 the Sahara ....
4 활짝 피어 있다 be in full ....
5 자연의 법칙 the laws of ....

C 우리말에 맞게 빈칸을 채워 문장을 완성하세요.

1 양들이 들판에서 풀을 뜯고 있다.

Sheep are grazing in the ______________.

2 두 마리의 새가 나뭇가지 위에 앉아 있다.

Two birds are sitting on the tree ______________.

3 야생화로 가득한 정원 좀 봐.

Look at the garden filled with ______________.

4 장미 덤불들이 추위로 죽었다.

The rose ______________ have died from the cold.

5 할머니는 매년 봄 땅에 씨를 뿌리신다.

My grandmother puts ______________ in the ground every spring.

D 빈칸에 알맞은 단어를 골라 쓰세요. (필요하면 형태를 바꾸세요.)

destroy	root	useful	breathe

1 We can ______________ fresh air in the forest.

2 We must not ______________ our nature anymore.

3 Water passes into the ______________ of a plant.

4 Many kinds of plants are ______________ in our lives.

DAY
35 자연
동물

681 **beast**
[biːst]

명 **짐승, 야수**

the beast in man 인간의 야수성

Have you seen that little beast?
저 작은 짐승을 본 적 있니?

682 **hunt**
[hʌnt]

동 **사냥하다** 명 **사냥, 수색**

hunt deer 사슴 사냥을 하다

The hunter had a hunt for that deer.
사냥꾼은 사슴을 사냥했다.

683 **kill**
[kil]

동 **죽이다, 목숨을 빼앗다**

kill time 시간을 죽이다(보내다)

The kid used to kill bugs just for kicks.
그 아이는 그저 재미로 벌레를 죽이곤 했다.

684 **nest**
[nest]

명 **둥지, 보금자리**

make a nest 둥지를 만들다

There is a bird's nest in the tree.
나무에 새집이 있다.

685 **male**
[meil]

형 **수컷의, 남성의**

a male dog 수캐

There are a few male bees in the garden.
정원에 몇 마리의 수벌들이 있다.

686 **fur** [fəːr]

명 **(동물의) 털, 모피**

a **fur** coat 모피 코트

When a koala is born, it has no **fur**.
코알라는 태어날 때 털이 전혀 없다.

687 **enemy** [énəmi]

명 **적**

a natural **enemy** 천적

Coyotes are natural **enemies** of the fox.
코요테는 여우의 천적이다.

688 **wild** [waild]

형 **야생의**

wild animals 야생 동물

Some **wild** flowers are growing in the garden.
몇몇 야생화들이 정원에서 자라고 있다.

689 **tail** [teil]

명 **꼬리**

a curly **tail** 동그랗게 말린 꼬리

The fox moves his **tail** quickly.
그 여우는 꼬리를 빠르게 움직인다.

690 **wag** [wæg]

동 **흔들다**

wag the tail 꼬리를 흔들다

The dog **wags** his tail for joy.
그 개는 꼬리를 치며 좋아했다.

DAY

35

691 **parrot**
[pǽrət]

명 **앵무새**

play the **parrot** 남의 흉내를 내다

Parrots have wonderful singing skills.
앵무새들은 뛰어난 노래 실력을 갖고 있다.

692 **wing**
[wiŋ]

명 **날개**

on the **wing** 날고 있는(날아서)

The eagle stretched out its long **wings**.
독수리가 긴 날개를 활짝 폈다.

693 **lay**
[lei]

lay-laid-laid

동 1. **놓다, 두다** 2. **(알을) 낳다**

lay down 내려놓다, 버리다

The bird **lays** a large and white egg.
그 새는 크고 하얀 알을 낳는다.

694 **feather**
[féðər]

명 **깃털**

colorful **feathers** 화려한 깃털

I have a bird with yellow and green **feathers**.
나는 노란색과 초록색 깃털을 지닌 새를 갖고 있다.

695 **bark**
[baːrk]

명 **짖는 소리** 동 **(개 등이) 짖다**

a loud **bark** 시끄럽게 짖는 소리

I'm afraid of dogs when they **bark**.
나는 개가 짖을 때 무섭다.

696 **whale**
[*h*weil]

명 고래

a blue **whale** 흰긴수염 고래

The **whale** is about 30 meters long.
그 고래는 길이가 대략 30미터나 된다.

697 **growl**
[graul]

동 으르렁거리다

growl at a stranger 낯선 사람에게 으르렁거리다

When I entered the house,
a dog **growled** at me.
그 집에 들어서자 개가 나를 향해 으르렁거렸다.

698 **disappear**
[dìsəpíə*r*]

동 사라지다, 없어지다

disappear completely 완전히 사라지다

All of a sudden the little cat **disappeared**.
갑자기 그 작은 고양이가 사라졌다.

699 **pat**
[pæt]

동 쓰다듬다 명 쓰다듬기

a **pat** on the head 머리 쓰다듬기

He **patted** the child on the head.
그는 아이의 머리를 쓰다듬었다.

700 **dangerous**
[déindʒərəs]

형 위험한 **danger** 명 위험

a **dangerous** sport 위험한 스포츠

The tiger is more **dangerous** than the fox.
호랑이는 여우보다 더 위험하다.

DAILY TEST DAY 35 자연 동물

A 영어는 우리말로, 우리말은 영어로 바꾸세요.

1 lay		11 앵무새	
2 dangerous		12 둥지	
3 kill		13 고래	
4 disappear		14 꼬리	
5 enemy		15 깃털	
6 pat		16 짐승, 야수	
7 fur		17 날개	
8 growl		18 사냥하다	
9 wag		19 짖다	
10 wild		20 수컷의	

B 주어진 우리말을 참고하여 어구를 완성하세요.

1 시간을 죽이다 __________ time

2 야생 동물 __________ animals

3 수캐 a(n) __________ dog

4 천적 a natural __________

5 둥지를 만들다 make a(n) __________

C 우리말에 맞게 빈칸을 채워 문장을 완성하세요.

1 강아지가 꼬리를 좌우로 흔들었다.

My dog wagged her ________ from side to side.

2 그 화려한 깃털을 가진 새는 뭐니?

What is the bird with the colorful ________?

3 들개들이 이 지역에서 완전히 사라졌다.

Wild dogs ________ completely from this area.

4 흰긴수염 고래는 세계에서 가장 큰 동물이다.

The blue ________ is the largest animal in the world.

5 새장 안의 앵무새는 몇 개의 단어를 말할 수 있다.

The ________ in the cage can speak a few words.

D 빈칸에 알맞은 단어를 골라 쓰세요. (필요하면 형태를 바꾸세요.)

fur	pat	beast	growl

1 The dog is ________ at the stranger.

2 The actress is wearing a ________ coat.

3 The man was ________ his dog on the head.

4 As you know, a lion is a dangerous ________.

누적 TEST 7주차 DAY 31-35

001 **male**

002 **bark**

003 **expect**

004 **forest**

005 **judge**

006 **low**

007 **necessary**

008 **trade**

009 **kill**

010 **cashier**

011 **company**

012 **field**

013 사막

014 결정하다

015 팔다

016 변호사

017 선택하다

018 비용

019 치과 의사

020 사무실

021 돈

022 군인

023 개울, 시내

024 비싼

025 hunt

026 counselor

027 feather

028 clerk

029 bush

030 wise

031 goods

032 interest

033 improve

034 artist

035 pay

036 useful

037 숨을 쉬다

038 동전

039 사라지다

040 농부

041 나뭇가지, 지사

042 세금

043 뿌리

044 사진작가

045 중요한

046 풀, 잔디

047 값이 싼

048 날개

누적 TEST 7 주차 DAY 31-35

049 **ability**

050 **career**

051 **soil**

052 **chef**

053 **customer**

054 **nature**

055 **destroy**

056 **lay**

057 **pat**

058 **price**

059 **nest**

060 **beast**

061 **work for**

062 기자

063 현금

064 할인

065 식물, 심다

066 작가

067 위험한

068 거스름돈

069 미래

070 교수

071 적

072 건축가

073 강

074 신용 카드

075 wild

076 fur

077 spend

078 life

079 bloom

080 succeed

081 inventor

082 wag

083 parrot

084 apply

085 cut down

086 wild flower

087 creative

088 호수

089 조종사

090 공장

091 과학자

092 씨, 씨앗

093 고래

094 면접

095 형사, 탐정

096 계산서, 지폐

097 으르렁거리다

098 꼬리

099 외과 의사

100 실현되다

DAY 36

계절과 날씨

계절

701 **season**
[síːzən]

명 **계절**

a rainy season 장마철, 우기

Winter is the best season for skiing.
겨울은 스키를 타기에 가장 좋은 계절이다.

702 **sunshine**
[sʌ́nʃàin]

명 **햇빛, 햇살**

the spring sunshine 봄 햇살

Why don't you go out and enjoy the sunshine?
밖에 나가서 햇빛을 즐기는 게 어때?

703 **warm**
[wɔːrm]

형 **따뜻한** 동 **따뜻하게 하다, 데우다**

a warm winter coat 따뜻한 겨울 코트

I'll warm up some milk.
내가 우유를 좀 데울게.

704 **flood**
[flʌd]

명 **홍수** 동 **물에 잠기다, 범람하다**

flood warning 홍수 경보

Many houses were flooded in the village.
마을의 많은 집들이 물에 잠겼다.

705 **humid**
[hjúːmid]

형 **습한**

hot and humid 덥고 습한

It is so humid today.
오늘은 날이 매우 습하다.

706 **fall**
[fɔːl]

fall-fell-fallen

동 **떨어지다** 명 1. **떨어짐** 2. **가을** 3. **폭포**

fallen leaves 낙엽
Niagara **Falls** 나이아가라 폭포

Leaves change their color in the **fall**.
나뭇잎은 가을이 되면 빛깔이 변한다.

707 **shower**
[ʃáuər]

명 1. **샤워** 2. **소나기**

take a **shower** 샤워하다

There were rain **showers** yesterday.
어제 소나기가 내렸다.

708 **raincoat**
[réinkòut]

명 **우비**

wear a **raincoat** 우비를 입다

I have a pink **raincoat** and rain boots.
나는 분홍색 우비와 장화가 있다.

709 **summer**
[sʌ́mər]

명 **여름**

a hot **summer** day 더운 여름 날

Today is the hottest day this **summer**.
오늘이 이번 여름 중에 가장 더운 날이다.

710 **drought**
[draut]

명 **가뭄**

have a long **drought** 가뭄이 계속되다

The river's water level is falling because of the **drought**.
가뭄으로 강의 물이 잦아들고 있다.

DAY 36

711 **winter**
[wíntəːr]

명 **겨울**

last **winter** 지난 겨울

They spent last **winter** in the south.
그들은 지난 겨울을 남쪽에서 보냈다.

712 **dark**
[dɑːrk]

형 **어두운, 캄캄한** 명 **어둠**

get **dark** 어두워지다

She is afraid of the **dark**.
그녀는 어둠을 두려워한다.

713 **dry**
[drai]

형 **마른, 건조한** 동 **마르다, 말리다**

dry indoor air 건조한 실내 공기

The paint hasn't **dried** yet.
페인트는 아직 마르지 않았다.

714 **freeze**
[friːz]

freeze–froze–frozen

동 **얼다, 얼리다**

be **frozen** to death 얼어 죽다

A chill wind has **frozen** the water in the pond.
차가운 바람이 연못의 물을 얼게 했다.

715 **umbrella**
[ʌmbrélə]

명 **우산, 양산**

put up an **umbrella** 우산을 쓰다

You should bring an **umbrella**.
너는 우산을 가지고 가야 한다.

716 **melt**
[melt]

동 **녹다, 녹이다**

melt in your mouth 입에서 살살 녹다

The snow is starting to **melt**.
눈이 녹기 시작한다.

717 **climate**
[kláimit]

명 **기후**

a warm **climate** 따뜻한 기후

The **climate** here is quite pleasant.
이곳의 기후는 매우 쾌적하다.

718 **fan**
[fæn]

명 1. **팬** 2. **선풍기, 부채**

a big **fan** of GD 열광적인 GD팬

It's too hot. Let's turn on the **fan**.
너무 덥다. 선풍기를 틀자.

719 **sweat**
[swet]

명 **땀** 동 **땀을 흘리다**

a cold **sweat** 식은 땀

I **sweat** a lot when I eat hot foods.
나는 매운 음식을 먹으면 땀을 많이 흘린다.

720 **breeze**
[bri:z]

명 **산들바람, 미풍**

a sea **breeze** 부드러운 바닷바람

The leaves are moving gently in the **breeze**.
나뭇잎들이 산들바람에 부드럽게 나부끼고 있다.

DAILY TEST DAY 36

계절과 날씨

계절

A 영어는 우리말로, 우리말은 영어로 바꾸세요.

1 dry ....

2 winter ....

3 warm ....

4 fall ....

5 fan ....

6 shower ....

7 flood ....

8 melt ....

9 dark ....

10 summer ....

11 산들바람 ....

12 땀 ....

13 기후 ....

14 우비 ....

15 가뭄 ....

16 우산 ....

17 햇빛, 햇살 ....

18 습한 ....

19 얼다, 얼리다 ....

20 계절 ....

B 주어진 우리말을 참고하여 어구를 완성하세요.

1 낙엽 .... leaves

2 우산을 쓰다 put up a(n) ....

3 가뭄이 계속되다 have a long ....

4 홍수 경보 .... warning

5 덥고 습한 hot and ....

C 우리말에 맞게 빈칸을 채워 문장을 완성하세요.

1 허브는 따뜻한 기후에서 잘 자란다.

Herbs grow well in a warm ______.

2 겨울에는 일찍 어두워진다.

In winter, it gets ______ early.

3 추워서 발이 꽁꽁 얼었다.

My feet are ______ from the cold.

4 건조한 실내 공기는 우리의 피부에 손상을 줄 수 있다.

______ indoor air can be damaging to our skin.

5 그 어린 소녀는 빗속에서 놀기 위해 우비를 입고 있다.

The little girl is wearing her ______ to play in the rain.

D 빈칸에 알맞은 단어를 골라 쓰세요. (필요하면 형태를 바꾸세요.)

season	summer	melt	sweat

1 The ice cream is ______ in the warm weather.

2 We have a lot of rain in the rainy ______.

3 I enjoy swimming in a river on a hot ______ day.

4 Some soccer players are practicing in a ______.

DAY 37

계절과 날씨

날씨

721 **weather** [wéðər]

명 **날씨, 기상**

a weather map 기상도

In hot weather, drink lots of water.
더운 날씨에는 물을 많이 마셔라.

722 **cloud** [klaud]

명 **구름**

a dark cloud 먹구름

There isn't a cloud in the blue sky.
파란 하늘에 구름 한 점 없다.

723 **storm** [stɔːrm]

명 **폭풍, 폭풍우**

a storm warning 폭풍 경보

The storm lasted for four days.
폭풍우가 4일간 계속되었다.

724 **drop** [drɑp]

동 **떨어지다** 명 1. **방울** 2. **하락**

drop by ~에 들르다

Some drops of rain began to fall.
약간의 빗방울들이 떨어지기 시작했다.

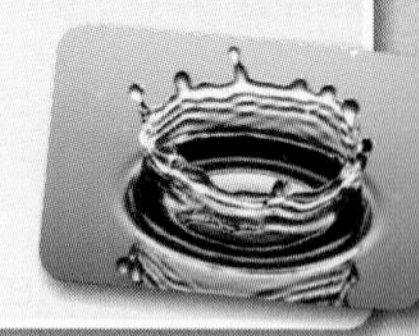

725 **mild** [maild]

형 **온화한, 순한**

a mild climate 온화한 기후

The weather was mild and clear.
날씨가 따뜻하고 맑았다.

726 **snowy**
[snóui]

형 **눈이 오는, 눈에 덮인**

a **snowy** weekend 눈이 내리는 주말

It will be **snowy** tomorrow.
내일은 눈이 올 것이다.

727 **wet**
[wet]

형 **젖은**

wet in the rain 비에 젖은

My clothes were all **wet** with rain.
내 옷이 비에 흠뻑 젖었다.

728 **cause**
[kɔːz]

명 **원인, 이유** 동 **~을 야기하다**

a **cause** of fires 화재의 원인

The heavy rain **caused** floods in many areas.
큰비는 많은 지역에 홍수를 일으켰다.

729 **icy**
[áisi]

형 **얼음같이 찬, 얼음에 뒤덮인**

an **icy** wind 얼음같이 찬 바람

The roads are really **icy** this morning.
오늘 아침에는 길이 많이 얼어 있다.

730 **forecast**
[fɔ́ːrkæ̀st]

forecast-forecast-forecast

동 **예보하다** 명 **예보, 예측**

a weather **forecast** 일기 예보

What is **forecast** for tomorrow?
내일의 기상 예보는 어떤가요?

DAY
37

731 fog
[fɔ(ː)g]

명 **안개** **foggy** 형 안개가 낀

a dense **fog** 짙은 안개

Morning **fog** will be heavy tomorrow.
내일은 아침 안개가 짙게 낄 것이다.

732 windy
[wíndi]

형 **바람이 부는**

a **windy** day 바람이 부는 날

It is a cold and **windy** day.
춥고 바람이 부는 날이다.

733 stop
[stɑp]

동 **멈추다, 그치다** 명 1. **멈춤, 중단** 2. **정류장**

stop raining 비가 그치다

The music came to a sudden **stop**.
음악이 갑자기 멈췄다.

734 suddenly
[sʌ́dnli]

부 **갑자기** **sudden** 형 갑작스러운

change **suddenly** 갑자기 변하다

Suddenly the strong wind blew from the east.
갑자기 동쪽에서 강한 바람이 불었다.

735 clear
[kliər]

형 1. **분명한, 확실한** 2. **(날씨가) 맑은**

make **clear** 분명히 하다

On a **clear** day you can see the mountain.
맑은 날에는 그 산을 볼 수 있다.

736 thunder [θʌ́ndər]

명 **천둥**

thunder rolls 천둥이 울리다

After she heard the **thunder**, she started to cry.
그녀는 천둥소리를 듣고 울기 시작했다.

737 lightning [láitniŋ]

명 **번개, 번갯불**

a flash of **lightning** 번갯불의 번쩍임

The **lightning** flashed among the dark clouds.
먹구름 사이에서 번개가 번쩍였다.

738 heavily [hévili]

형 **심하게, 아주 많이**

rain **heavily** 비가 심하게 내리다

I hope it will snow **heavily** tomorrow.
내일 눈이 펑펑 왔으면 좋겠다.

739 hurricane [hə́:rəkèin]

명 **허리케인**

the path of a **hurricane** 허리케인의 진로

The **hurricane** damaged the entire country.
허리케인이 나라 전체에 피해를 입혔다.

740 rain cats and dogs

비가 세차게 내리다

It is **raining cats and dogs** outside now.
지금 밖에 비가 세차게 내리고 있다.

DAILY TEST DAY 37 계절과 날씨

날씨

A 영어는 우리말로, 우리말은 영어로 바꾸세요.

1 suddenly	....	11 안개	....
2 heavily	....	12 폭풍	....
3 cause	....	13 허리케인	....
4 clear	....	14 구름	....
5 wet	....	15 번개	....
6 icy	....	16 예보, 예측	....
7 stop	....	17 눈이 오는	....
8 drop	....	18 천둥	....
9 mild	....	19 날씨	....
10 rain cats and dogs	....	20 바람이 부는	....

B 주어진 우리말을 참고하여 어구를 완성하세요.

1 천둥이 울리다 .... rolls

2 먹구름 a dark ....

3 번갯불의 번쩍임 a flash of ....

4 기상도 a(n) .... map

5 온화한 기후 a(n) .... climate

C 우리말에 맞게 빈칸을 채워 문장을 완성하세요.

1 내일은 다시 비가 심하게 내릴 것이다.
It will rain ______ again tomorrow.

2 얼음같이 찬 바람이 우리를 집에 머무르게 했다.
The ______ wind made us stay at home.

3 나의 고향에 폭풍 경보가 내려졌다.
There was a(n) ______ warning in my hometown.

4 내일은 바람이 몹시 부는 날이 될 것이다.
Tomorrow will be a terribly ______ day.

5 허리케인이 10년마다 그 지역을 강타했다.
______ hit the area every ten years.

D 빈칸에 알맞은 단어를 골라 쓰세요. (필요하면 형태를 바꾸세요.)

fog	wet	stop	forecast

1 We'll have to wait inside until it ______ raining.

2 I got ______ in the rain yesterday so I caught a cold.

3 There is usually a dense ______ along the coast.

4 Here is the weather ______ for tomorrow.

DAY 38

사람과 사물 묘사

741 **huge** [hjuːdʒ]

형 거대한

a **huge** size 거대한 크기

They live in a **huge** house.
그들은 대저택에 산다.

742 **smooth** [smuːð]

형 매끄러운, 부드러운

smooth hair 매끄러운 머리카락

She has clear and **smooth** skin.
그녀는 깨끗하고 매끄러운 피부를 가졌다.

743 **deep** [diːp]

형 깊은, (색이) 짙은

in **deep** water 깊은 물 속에

The child has **deep** blue eyes.
그 아이는 짙은 푸른 눈을 가졌다.

744 **wide** [waid]

형 넓은

a **wide** river 넓은 강

The road is very **wide**.
그 길은 매우 넓다.

745 **narrow** [nǽrou]

형 좁은

narrow shoulders 좁은 어깨

He's practicing driving on the **narrow** street.
그는 좁은 길에서 운전 연습을 하고 있다.

746 **clever**
[klévər]

형 **영리한**

a **clever** child 영리한 아이

He is young, **clever**, and handsome too.
그는 젊고 영리한데다 잘생겼다.

747 **neat**
[niːt]

형 **단정한, 깔끔한**

a **neat** jacket 깔끔한 재킷

She looked **neat** and fresh in a white dress.
흰색 원피스를 입은 그녀는 단정하고 산뜻해 보였다.

748 **messy**
[mési]

형 **지저분한, 엉망인**

a **messy** room 지저분한 방

The garage was dirty and **messy**.
그 차고는 더럽고 지저분했다.

749 **sharp**
[ʃɑːrp]

형 **날카로운, 뾰족한**

a **sharp** tooth 날카로운 이

We used a **sharp** knife to cut the apples.
날카로운 칼로 사과를 잘랐다.

750 **empty**
[émpti]

형 **빈, 비어 있는** 동 **비우다**

an **empty** bottle 빈 병

She **emptied** the water out of the vase.
그녀는 꽃병의 물을 비웠다.

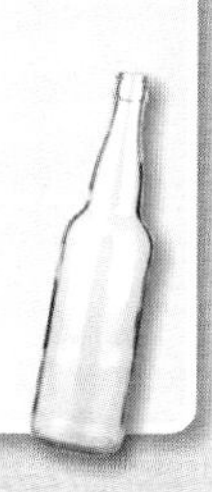

DAY
38

751 **smart**
[smɑːrt]

형 **똑똑한, 영리한**

a smart student 영리한 학생

Everyone wants to be a smart shopper.
누구나 똑똑한 쇼핑객이 되고 싶어 한다.

752 **lazy**
[léizi]

형 **게으른, 나태한**

lazy life 나태한 생활

The sloth looks slow and lazy.
나무늘보는 느리고 게을러 보인다.

753 **curious**
[kjú(ː)əriəs]

형 **궁금한, 호기심이 많은**

curious eyes 호기심에 찬 눈

The curious boy asks a lot of questions.
그 호기심 많은 소년은 많은 질문을 한다.

754 **stupid**
[stjúːpid]

형 **어리석은, 바보 같은**

a stupid action 어리석은 행동

He did a stupid thing when he was young.
그는 어렸을 때 어리석은 짓을 했다.

755 **dull**
[dʌl]

형 **지루한, 둔한**

a dull movie 지루한 영화

I cut a watermelon with a dull knife.
나는 무딘 칼로 수박을 잘랐다.

756 **thick**
[θik]

형 1. 두꺼운 2. 짙은

thick fingers 굵은 손가락

The air was **thick** with dust.
대기에는 먼지가 자욱했다.

757 **flat**
[flæt]

형 평평한, 납작한

a **flat** tire 구멍 난 타이어

Put the roasted meat on a **flat** dish.
구운 고기를 납작한 접시에 놓으세요.

758 **thin**
[θin]

형 얇은, 마른

thin paper 얇은 종이

She looked pale and **thin**.
그녀는 창백하고 여위어 보였다.

759 **bald**
[bɔːld]

형 대머리의, 벗겨진

a **bald** head 대머리

He started going **bald** when he was thirty.
그는 서른 살부터 머리가 벗겨지기 시작했다.

760 **ponytail**
[póunitèil]

명 말총머리

in a **ponytail** 말총머리로

She always wears her hair in a **ponytail**.
그녀는 언제나 말총머리로 머리를 묶는다.

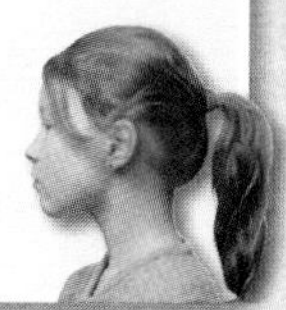

DAILY TEST DAY 38 사람과 사물 묘사

A 영어는 우리말로, 우리말은 영어로 바꾸세요.

1 wide ....
2 thick ....
3 clever ....
4 messy ....
5 flat ....
6 neat ....
7 smart ....
8 stupid ....
9 dull ....
10 huge ....
11 말총머리 ....
12 좁은 ....
13 게으른 ....
14 날카로운 ....
15 대머리의 ....
16 매끄러운 ....
17 비어 있는 ....
18 얇은, 마른 ....
19 깊은 ....
20 호기심이 많은 ....

B 주어진 우리말을 참고하여 어구를 완성하세요.

1 대머리 a(n) .... head
2 구멍 난 타이어 a(n) .... tire
3 매끄러운 머리카락 .... hair
4 빈 병 a(n) .... bottle
5 호기심에 찬 눈 .... eyes

C 우리말에 맞게 빈칸을 채워 문장을 완성하세요.

1 나는 그에게 나의 어리석은 행동에 대해 사과했다.

I apologized to him for my ______ actions.

2 너는 그 넓은 강을 수영해서 건널 수 없다.

You cannot swim across the ______ river.

3 나는 그것의 거대한 크기에 놀랐다.

I was amazed at its ______ size.

4 그 물고기는 깊은 물 속에 산다.

The fish lives in ______ water.

5 그녀는 얇은 종이 위에 몇 송이의 꽃을 그리고 있다.

She is drawing some flowers on the ______ paper.

D 빈칸에 알맞은 단어를 골라 쓰세요.

thick	messy	sharp	neat

1 Please clean up your ______ room.

2 He looks great in a ______ jacket.

3 It's cold outside. Put on that ______ sweater.

4 Beavers cut down trees with their ______ teeth.

DAY 39

주요 동사 표현

make/take

761 **make a choice**

선택하다

I have to **make a choice** now.
나는 이제 선택을 해야 한다.

762 **make a decision**

결정을 내리다

We have to **make a decision** by next Friday.
우리는 다음 주 금요일까지 결정을 내려야 한다.

763 **make money**

돈을 벌다

She **made money** by playing the violin.
그녀는 바이올린을 연주해서 돈을 벌었다.

764 **make fun of**

~를 놀리다

You shouldn't **make fun of** people.
너는 사람들을 놀려서는 안 된다.

765 **make a call**

전화하다

I'd like to **make a call** to Seoul, Korea.
한국의 서울에 전화하고 싶은데요.

766 **make sure** 확실히 하다

You must **make sure** that there are no mistakes.
너는 실수가 없도록 확실히 해야 한다.

767 **make noise** 떠들다, 소란을 피우다

Don't **make noise** in the classroom.
교실에서 떠들지 마라.

768 **make a living** 생계를 꾸리다

They **make a living** by fishing.
그들은 어업으로 생계를 유지한다.

769 **make a plan** 계획을 세우다

I **made a plan** for the next few months.
나는 다음 몇 개월간의 계획을 세웠다.

770 **make a speech** 연설하다

He will **make a speech** in front of people.
그는 사람들 앞에서 연설할 것이다.

771 take a picture

사진을 찍다

Could you **take a picture** for us?
저희 사진 좀 찍어 주시겠어요?

772 take a shower

샤워하다

I **take a shower** after exercising.
나는 운동을 한 후 샤워한다.

773 take a rest

쉬다, 휴식을 취하다

Lie down here and **take a rest**.
여기 누워서 좀 쉬어라.

774 take a trip

여행하다

She wants to **take a trip** to Europe.
그녀는 유럽으로 여행 가기를 원한다.

775 take a walk

산책하다

They **take a walk** every morning.
그들은 매일 아침 산책을 한다.

776 take away

치우다

My mom **took away** the flower pot.
엄마가 화분을 치우셨다.

777 take care of

~를 보살피다

I will **take care of** my little brother.
내가 남동생을 보살필 것이다.

778 take off

~을 벗다

He **took off** his jacket.
그는 재킷을 벗었다.

779 take one's time

천천히 하다

Take your time and look around.
천천히 둘러보세요.

780 take a break

휴식을 취하다

Take a break and get some fresh air.
쉬면서 맑은 공기를 좀 마셔봐.

DAILY TEST DAY 39 주요 동사 표현

make/take

A 영어는 우리말로, 우리말은 영어로 바꾸세요.

1 take a rest ....

2 make a decision ....

3 make a plan ....

4 take off ....

5 make fun of ....

6 make a choice ....

7 take one's time ....

8 make a call ....

9 take away ....

10 take a break ....

11 사진을 찍다 ....

12 돈을 벌다 ....

13 산책하다 ....

14 생계를 꾸리다 ....

15 연설하다 ....

16 샤워하다 ....

17 ~를 보살피다 ....

18 소란을 피우다 ....

19 여행하다 ....

20 확실히 하다 ....

B 밑줄 친 부분에 유의하여 다음 문장을 우리말로 옮기세요.

1 Take your time and look around.

2 I have to make a choice now.

3 I will take care of my little brother.

4 I made a plan for the next few months.

5 They take a walk every morning.

C 우리말에 맞게 빈칸을 채워 문장을 완성하세요.

1 그는 공원에서 내 사진을 찍었다.
He ______ of me in the park.

2 그녀는 노래를 부르는 것으로 돈을 번다.
She ______ of singing.

3 친구들을 놀리지 마라.
Don't ______ your friends.

4 언젠가 나는 아프리카로 여행을 떠날 거야.
Someday I'll ______ to Africa.

5 누가 저 빈 병을 치울 거니?
Who will ______ those empty bottles?

D 빈칸에 알맞은 동사구를 골라 쓰세요.

take a shower	take a rest	make noise	take off

1 ______ your wet clothes.

2 You sweated a lot. Go in and ______.

3 You look tired. You'd better ______.

4 Don't ______, keep quiet.

DAY 40

주요 동사 표현

be/do/have

781 **be able to**

~할 수 있다

I wasn't able to answer the difficult question.
나는 그 어려운 질문에 답할 수 없었다.

782 **be famous for**

~로 유명하다

Switzerland is famous for its natural beauty.
스위스는 자연의 아름다움으로 유명하다.

783 **be full of**

~로 가득하다

The basket is full of strawberries.
그 바구니는 딸기로 가득하다.

784 **be good at**

~을 잘하다

My brother is good at playing basketball.
우리 형은 농구를 잘한다.

785 **be good for**

~에 좋다

Laughing is good for your health.
웃음은 건강에 좋다.

786 **be ready for** ~할 준비가 되다

I **am ready for** the trip.
나는 여행갈 준비가 되었다.

787 **be over** 끝나다

The movie will **be over** at 3.
3시에 영화가 끝날 것이다.

788 **be late for** ~에 늦다

I **was late for** the meeting again.
나는 또 모임에 늦었다.

789 **be surprised at** ~에 놀라다

The scientist **was surprised at** the result.
그 과학자는 결과에 놀랐다.

790 **be different from** ~와 다르다

The book **is different from** the movie.
책은 영화와 다르다.

DAY 40

791 be filled with

~로 가득 차다

The room **was filled with** the smell of roses.
그 방은 장미 향기로 가득 찼다.

792 be from

~에서 오다, ~ 출신이다

My English teacher **is from** New York.
우리 영어 선생님은 뉴욕 출신이다.

793 be interested in

~에 관심이(흥미가) 있다

He **is interested in** sports.
그는 스포츠에 관심이 있다.

794 be afraid of

~을 두려워하다

I **am afraid of** mice.
나는 생쥐를 무서워한다.

795 be going to

~할 예정이다

I **am going to** join a reading club.
나는 독서 동아리에 가입할 것이다.

796 **do the dishes**

설거지하다

Will you please **do the dishes**?
설거지 좀 해줄래요?

797 **do one's homework**

숙제를 하다

Be sure to **do your homework**.
숙제는 꼭 해라.

798 **have a meal**

식사하다

He drinks water when he **has a meal**.
그는 식사하면서 물을 마신다.

799 **have a cold**

감기에 걸리다

I can't smell because I **have a cold**.
나는 감기에 걸려서 냄새를 못 맡는다.

800 **have fun**

즐기다, 재미있는 시간을 보내다

Did you **have fun** tonight?
오늘 밤 재미있었니?

DAILY TEST DAY 40

주요 동사 표현
be/do/have

A 영어는 우리말로, 우리말은 영어로 바꾸세요.

1 be full of ....
2 be different from ....
3 have fun ....
4 be over ....
5 be going to ....
6 be from ....
7 be good for ....
8 be surprised at ....
9 be afraid of ....
10 be filled with ....
11 감기에 걸리다 ....
12 숙제를 하다 ....
13 ~에 관심이 있다 ....
14 ~할 수 있다 ....
15 ~에 늦다 ....
16 ~을 잘하다 ....
17 ~로 유명하다 ....
18 ~할 준비가 되다 ....
19 식사하다 ....
20 설거지하다 ....

B 밑줄 친 부분에 유의하여 다음 문장을 우리말로 옮기세요.

1 He drinks water when he has a meal.
2 The movie will be over at 3.
3 The room was filled with the smell of roses.
4 The scientist was surprised at the result.
5 I am going to join a reading club.

C 우리말에 맞게 빈칸을 채워 문장을 완성하세요.

1 여동생은 감기에 걸린 것 같다.
My sister seems to ______.

2 그녀는 영어 회화를 잘 한다.
She ______ speaking English.

3 그는 우주 연구에 관심이 있다.
He ______ space research.

4 해변은 사람들로 가득했다.
The seaside ______ people.

5 이제 우리는 파티 준비가 다 되었다.
We ______ the party now.

D 빈칸에 알맞은 동사구를 골라 쓰세요. (필요하면 형태를 바꾸세요.)

be late for	be good for	be famous for	do one's homework

1 Britain ______ fog and rain.

2 Don't ______ school again.

3 ______ before you go to sleep.

4 Working out ______ your health.

누적 TEST 8 주차 DAY 36 – 40

001 **be over**

002 **sharp**

003 **take a trip**

004 **narrow**

005 **smooth**

006 **huge**

007 **winter**

008 **make a living**

009 **humid**

010 **take care of**

011 **be full of**

012 **thin**

013 계절

014 대머리의

015 게으른

016 산책하다

017 건조한, 마르다

018 얼다, 얼리다

019 깊은

020 폭풍

021 말총머리

022 샤워, 소나기

023 두꺼운, 짙은

024 안개

025 messy

026 be interested in

027 take away

028 clear

029 make noise

030 cause

031 clever

032 empty

033 fall

034 heavily

035 take a break

036 warm

037 샤워하다

038 평평한, 납작한

039 녹다, 녹이다

040 구름

041 사진을 찍다

042 갑자기

043 햇빛, 햇살

044 홍수

045 호기심이 많은

046 부채, 선풍기

047 허리케인

048 돈을 벌다

누적 TEST 8 주차 DAY 36-40

049 **dull**

050 **forecast**

051 **breeze**

052 **take a rest**

053 **make a call**

054 **dark**

055 **wide**

056 **be good for**

057 **stupid**

058 **drop**

059 **weather**

060 **take one's time**

061 **make a decision**

062 확실히 하다

063 번개

064 ~로 가득 차다

065 ~을 잘하다

066 여름

067 눈이 오는

068 ~을 두려워하다

069 멈추다, 그치다

070 계획을 세우다

071 땀

072 천둥

073 ~을 벗다

074 ~에 놀라다

075 **have a meal**

076 **be able to**

077 **neat**

078 **be famous for**

079 **wet**

080 **have fun**

081 **be going to**

082 **climate**

083 **be different from**

084 **smart**

085 **icy**

086 **make a choice**

087 **rain cats and dogs**

088 감기에 걸리다

089 우산

090 온화한, 순한

091 연설하다

092 ~에 늦다

093 가뭄

094 바람이 부는

095 설거지하다

096 우비

097 ~를 놀리다

098 ~을 할 준비가 되다

099 숙제를 하다

100 ~에서 오다, ~ 출신이다

중1 교과서
대표 영단어
800

정답과 해설

DAY 01 DAILY TEST
pp. 10~11

A

1	끝내다	11	school uniform
2	가르치다	12	elementary
3	체육관, 운동	13	playground
4	시작하다	14	library
5	참석하다, ~에 다니다	15	cafeteria
6	책가방	16	absent
7	학년, 성적, 등급	17	principal
8	따라가다, 따르다	18	classroom
9	시작하다	19	blackboard
10	학교에 가다	20	get along with

B

1 grade
2 gym
3 absent
4 playground
5 classroom

C

1 finishes
2 goes to school
3 get along with
4 principal
5 blackboard

D

1 starts
2 taught
3 library
4 elementary

해석

1 새 학년은 매년 3월에 시작된다.
2 우리 아빠는 젊었을 때 영어를 가르치셨다.
3 도서관에서 휴대폰을 사용하지 마라.
4 나는 초등학교 때 교복을 입지 않았다.

DAY 02 DAILY TEST
pp.16~17

A

1	문제	11	exam
2	생각하다	12	challenge
3	풀다	13	stress
4	지나가다, 합격하다	14	prepare
5	맞는, 올바른	15	fail
6	질문	16	mistake
7	점수	17	wrong
8	채우다	18	spell
9	불안해하는	19	answer
10	최선을 다하다	20	write

B

1 question
2 correct
3 mistake
4 answer
5 wrong

C

1 exam
2 prepare
3 fail
4 stress
5 pass

D

1 nervous
2 fill
3 score
4 solve

해석

1 그녀는 시험 때문에 불안해한다.
2 너는 빈칸을 모두 채워야 한다.
3 그는 수학 시험에서 만점을 받았다.
4 나는 그 문제를 어떻게 풀어야 할지 모른다.

DAY 03

DAILY TEST

pp. 22~23

A

1	수학	11	textbook
2	주제, 과목	12	schedule
3	수업, 과	13	teacher
4	연습하다	14	review
5	올리다	15	science
6	배우다	16	homework
7	화제, 주제	17	culture
8	반복하다	18	explain
9	공부하다	19	P.E.
10	메모, 필기	20	number

B

1 teacher
2 raise
3 science
4 topic
5 lesson

C

1 subject
2 practices
3 explains
4 homework
5 textbook

D

1 study
2 culture
3 note
4 repeat

해석

1 그녀는 시험 공부를 해야 한다.
2 그들은 한국 문화를 배우고 싶어한다.
3 나는 선생님이 말씀하시는 것을 필기한다.
4 잘 듣고 각 문장을 나를 따라 반복해라.

DAY 04

DAILY TEST

pp. 28~29

A

1	방문하다	11	vacation
2	환영하다	12	exhibition
3	들어가다, 참가하다	13	festival
4	선출하다	14	speech
5	소풍	15	stage
6	잡다, 개최하다	16	prize
7	대회, 시합	17	field trip
8	행사	18	activity
9	대통령, 회장	19	dance
10	계획	20	provide

B

1 vacation
2 speech
3 prize
4 picnic
5 plan

C

1 field trip
2 visit
3 elect
4 welcomed
5 hold

D

1 provided
2 stage
3 exhibition
4 entered

해석

1 그들은 어제 우리에게 많은 음식을 제공했다.
2 그 밴드는 무대에서 연주하고 있다.
3 많은 사람들이 꽃 전시회에 방문했다.
4 그녀는 작년에 먹기 대회에 참가했다.

DAY 05 DAILY TEST
pp. 34~35

A

1	다투다	11	happiness
2	가까운, 닫다	12	friendship
3	자랑스러운	13	worry
4	수다를 떨다	14	nickname
5	환호, 격려	15	forgive
6	좋아하다	16	smile
7	정직한	17	communicate
8	특별한	18	express
9	이해하다	19	helpful
10	신뢰	20	hang out

B

1 trust
2 close
3 special
4 proud
5 chat

C

1 worry
2 friendship
3 understand
4 forgives
5 smiling

D

1 nickname
2 communicate
3 happiness
4 express

해석

1 내 친구들은 나를 별명으로 부른다.
2 나는 중국에 있는 사촌과 이메일로 연락한다.
3 그녀는 친구들을 만날 때 행복을 느낀다.
4 나는 부모님께 고마움을 표현하고 싶다.

DAY 01-05 1주차 누적 TEST
pp. 36~39

p. 36

001	방학	013	homework
002	자랑스러운	014	elementary
003	정직한	015	wrong
004	계획	016	practice
005	올리다, 들다	017	fill
006	점수	018	fail
007	격려하다	019	learn
008	화제, 주제	020	festival
009	전시회	021	science
010	대답, 답	022	library
011	구내식당	023	chat
012	문화	024	spell

p. 37

025	따라가다	037	like
026	설명하다	038	nervous
027	가까운, 닫다	039	correct
028	질문	040	mistake
029	반복하다	041	prepare
030	연설	042	school uniform
031	다투다	043	stage
032	상	044	go to school
033	결석한	045	field trip
034	메모, 필기	046	study
035	교과서	047	teacher
036	시작하다	048	contest

p. 38

049	문제	062	math
050	들어가다	063	backpack
051	수업, 과	064	think
052	학년, 성적, 등급	065	get along with
053	쓰다	066	elect
054	시작하다	067	review
055	잡다, 개최하다	068	principal
056	환영하다	069	challenge
057	시험	070	solve
058	소풍	071	president
059	주제, 과목	072	schedule
060	칠판	073	stress
061	최선을 다하다	074	classroom

p. 39

075	특별한	088	smile
076	참석하다	089	gym
077	신뢰	090	forgive
078	행사	091	happiness
079	운동장	092	dance
080	활동	093	teach
081	이해하다	094	helpful
082	어울려 놀다	095	pass
083	제공하다	096	express
084	걱정하다	097	number
085	체육	098	friendship
086	의사소통을 하다	099	nickname
087	끝내다	100	visit

DAILY TEST

pp. 44~45

1	괴롭히다	11	secret
2	~ 사이에	12	comfortable
3	함께 쓰다	13	different
4	같은	14	letter
5	서로	15	angry
6	부르다, 전화하다	16	lovely
7	싸우다	17	together
8	다정한, 친절한	18	address
9	미안한	19	joke
10	친절한, 종류	20	popular

1 different
2 comfortable
3 address
4 each other
5 letter

1 friendly
2 lovely
3 sorry
4 bother
5 secret

D

1 popular
2 between
3 fight
4 together

해석

1 수지는 우리 학교에서 가장 인기 있는 학생이다.
2 그는 3시와 4시 사이에 돌아올 것이다.
3 너는 친구들과 싸우지 말아야 한다.
4 그는 숙제를 함께 하기 위해서 우리 집에 왔다.

DAY 07 DAILY TEST

pp. 50~51

A

1 인사하다, 맞이하다
2 ~하게 하다
3 기쁜
4 일어나다, 발생하다
5 살다, 살아있는
6 가져오다
7 기쁜, 반가운
8 보내다
9 기억하다
10 소개하다
11 confident
12 manners
13 information
14 name
15 long face
16 farewell
17 job
18 exchange
19 bow
20 shake hands

B

1 manners
2 farewell
3 live
4 greet
5 job

C

1 bring
2 bow
3 introduce
4 confident
5 long face

D

1 pleased
2 information
3 Send
4 exchange

해석

1 그녀는 아들로부터 소식을 듣고 기뻤다.
2 미나와 나는 많은 정보를 공유한다.
3 네 누이에게 안부 전해줘.
4 우리는 전화번호를 교환할 것이다.

DAY 08 DAILY TEST

pp. 56~57

A

1 사용하다
2 요청하다
3 빌리다
4 묻다, 부탁하다
5 나르다
6 빌려 주다
7 돕다, 도움
8 조심하는, 주의 깊은
9 가입하다, 함께 하다
10 추천하다
11 favor
12 opinion
13 volunteer
14 suggest
15 polite
16 attention
17 donate
18 rest
19 quiet
20 task

B

1 favor
2 attention
3 suggest
4 rest
5 opinion

C

1 careful
2 recommend
3 quiet
4 donate
5 volunteer

D

1 join
2 help
3 use
4 carry

해석

1 체스 클럽에 가입하는 게 어떠니?
2 내 숙제를 도와줄 수 있니?
3 네 전화를 잠깐 사용해도 될까?
4 내가 그 상자를 방으로 옮기는 걸 도와줄게.

DAY 09 DAILY TEST
pp. 62~63

A

1	외로운	11	win
2	훌륭한	12	enjoy
3	운, 행운	13	miracle
4	울다, 외치다	14	pity
5	아픈	15	sadness
6	밝은, 영리한	16	worried
7	웃다	17	perfect
8	슬픈	18	lose
9	훌륭한, 빛나는	19	die
10	기쁨, 즐거움	20	hopeful

B

1 lonely
2 worried
3 lose
4 laugh
5 miracle

C

1 perfect
2 bright
3 win
4 ill
5 pity

D

1 Enjoy
2 excellent
3 cried
4 die

해석

1 파티에서 즐거운 시간을 보내라.
2 그녀는 노래하고 춤추는 것에 탁월하다.
3 아기가 밤새 울어서 잠을 잘 수 없었다.
4 요즈음 많은 사람들이 암으로 죽는다.

DAY 10 DAILY TEST
pp. 68~69

A

1	싫어하다	11	fresh
2	쉬운	12	disappointed
3	신나는	13	difficult
4	감동한	14	frightened
5	즐거운	15	peace
6	심하게	16	complain
7	관심 있어 하는	17	boring
8	속상한, 화가 난	18	terrible
9	망치다	19	safe
10	아주 좋은, 멋진	20	fair

B

1 interested
2 peace
3 touched
4 terrible
5 fair

C

1 exciting
2 spoil
3 disappointed
4 fresh
5 easy

D

1 hate
2 badly
3 difficult
4 terrific

해석

1 대부분의 학생들은 시험 보는 걸 싫어한다.
2 그녀는 사고로 심하게 다쳤다.
3 나는 그 문제를 해결하는 데 어려움을 겪었다.
4 그들은 Susan의 집에서 멋진 파티를 하고 있다.

2 주차 누적 TEST

pp. 70~73

p. 70

001	불평하다	013	lonely
002	농담	014	peace
003	인기 있는	015	lose
004	묻다, 부탁하다	016	join
005	싫어하다	017	different
006	주소, 연설	018	terrible
007	편지, 글자	019	cry
008	훌륭한	020	introduce
009	자신감 있는	021	luck
010	빌리다	022	perfect
011	동정, 유감	023	easy
012	호의	024	help

p. 71

025	겁먹은	037	miracle
026	아픈	038	lend
027	나르다	039	careful
028	즐거운, 상냥한	040	use
029	걱정하는	041	disappointed
030	요청	042	recommend
031	친절한, 종류	043	donate
032	즐기다	044	secret
033	감동한	045	remember
034	밝은, 영리한	046	die
035	희망적인	047	difficult
036	슬픔	048	each other

p. 72

049	기쁨	062	boring
050	주의, 주목	063	send
051	심하게, 몹시	064	win
052	화가 난	065	information
053	기쁜	066	fight
054	예의	067	opinion
055	웃다	068	together
056	다정한, 친절한	069	farewell
057	관심 있어 하는	070	volunteer
058	가져오다	071	sorry
059	일, 직장	072	rest
060	제안하다	073	name
061	슬픈	074	polite

p. 73

075	신선한	088	live
076	괴롭히다	089	spoil
077	기쁜	090	fair
078	속상한, 화가 난	091	between
079	인사하다, 맞이하다	092	task
080	편안한	093	same
081	신나는	094	lovely
082	우울한 얼굴	095	quiet
083	교환하다	096	bow
084	아주 좋은, 멋진	097	call
085	~하게 하다, 허락하다	098	safe
086	함께 쓰다, 나누다	099	happen
087	훌륭한, 빛나는	100	shake hands

DAY 11 DAILY TEST

pp. 78~79

A

1	제공하다	11	kindness
2	선물, 재능	12	brave
3	고마워하는	13	late
4	아름다운	14	apologize
5	놀라운	15	diligent
6	재능	16	health
7	말하다, 언급하다	17	forget
8	감사하다	18	excuse
9	예쁜, 아주	19	tease
10	진가를 알아보다, 감사하다	20	tell a lie

B

1 amazing
2 diligent
3 thank
4 late
5 forget

C

1 health
2 gift
3 kindness
4 tease
5 brave

D

1 talent
2 grateful
3 excuse
4 serve

해석

1 그 아이는 음악에 재능이 있다.
2 친절을 베풀어 주셔서 감사합니다.
3 그는 자신의 실수에 대해 변명하고 있다.
4 패스트푸드 음식점은 건강에 좋은 음식을 제공하지 않는다.

DAY 12 DAILY TEST

pp. 84~85

A

1	체벌하다	11	ancestor
2	부모	12	housework
3	지지하다, 부양하다	13	grandchild
4	자라다, 재배하다	14	daughter
5	비슷한, 똑같이	15	grandparents
6	~와 관련된, 친척	16	birthday
7	연세가 드신	17	guest
8	돌봄, 조심, 상관하다	18	role
9	아이, 자식	19	invite
10	탄생, 출산	20	allowance

B

1 parents
2 role
3 care
4 support
5 guest

C

1 grandchildren
2 birth
3 elderly
4 housework
5 allowance

D

1 punished
2 birthday
3 grow
4 alike

해석

1 그들은 아이가 거짓말을 해서 혼을 냈다.
2 엄마를 위해 깜짝 생일 파티를 하자.
3 나는 자라서 조종사가 되고 싶다.
4 우리 형과 나는 닮았다.

DAY 13 DAILY TEST

pp. 90~91

A

1	성격, 등장인물	11	husband
2	비슷한, 닮은	12	host
3	고모, 이모	13	cousin
4	~와 결혼하다	14	family
5	구성원, 회원	15	uncle
6	단 하나의, 독신의	16	twin
7	두 사람[개], 부부	17	anniversary
8	닮다, 비슷하다	18	niece
9	결혼	19	adult
10	기념하다, 축하하다	20	nephew

B

1 husband
2 character
3 wedding
4 family
5 couple

C

1 host
2 celebrated
3 twins
4 members
5 married

D

1 similar
2 anniversary
3 adult
4 cousin(s)

해석

1 그녀는 그녀의 엄마와 닮았다.
2 오늘은 우리 부모님의 결혼 기념일이다.
3 나는 빨리 어른이 되고 싶다.
4 그는 사촌과 노는 걸 좋아한다.

DAY 14 DAILY TEST

pp. 96~97

A

1	입고 있다	11	sneakers
2	재킷, 상의	12	belt
3	빛나다	13	gloves
4	바지	14	pocket
5	묶다, 넥타이	15	sweater
6	옷, 의복	16	skirt
7	드레스, 옷을 입다	17	boot
8	모자	18	shorts
9	꽉 끼는	19	loose
10	~을 입다	20	size

B

1 clothes
2 shine
3 pocket
4 tight
5 sizes

C

1 cap
2 pants
3 boots
4 skirt
5 sneakers

D

1 shorts
2 belt
3 wear
4 gloves

해석

1 반바지를 입고 사원에 들어갈 수 없다.
2 바지가 너무 커서 나는 벨트를 맨다.
3 밖이 추우니까 너는 카디건을 입어야 한다.
4 엄마는 설거지를 할 때 이 고무장갑을 사용한다.

DAY 15 DAILY TEST

pp. 102~103

A

1	맛이 쓴	11	breakfast
2	맛있는	12	pepper
3	짠, 짭짤한	13	vegetable
4	식사, 끼니	14	sugar
5	간식	15	set
6	맛, 맛이 나다	16	sour
7	달콤한, 사탕	17	dessert
8	맛, 풍미	18	flour
9	고기, 육류	19	noodle
10	매운	20	pork

B

1 spicy
2 flour
3 snack
4 pork
5 breakfast

C

1 meals
2 delicious
3 pepper
4 noodles
5 vegetable

D

1 taste
2 sour
3 meat
4 dessert

해석

1 설탕은 단맛이 난다.
2 이 레몬은 전혀 시지 않다.
3 칠면조 고기는 크리스마스 음식으로 사용된다.
4 우리는 후식으로 약간의 쿠키와 커피를 먹었다.

DAY 11-15 3주차 누적 TEST

pp. 104~107

p. 104

001	사촌	013	birth
002	고기	014	resemble
003	아름다운	015	grow
004	기념하다, 축하하다	016	pocket
005	조상	017	flour
006	맛있는	018	husband
007	말하다, 언급하다	019	bitter
008	놀라운	020	housework
009	지지하다, 부양하다	021	talent
010	주인, 진행자	022	family
011	고마워하는	023	loose
012	맛, 맛이 나다	024	niece

p. 105

025	아이, 자녀	037	salty
026	식사	038	shorts
027	결혼	039	sugar
028	삼촌	040	anniversary
029	감사하다	041	sweater
030	맛	042	tight
031	놓다, 차리다	043	parents
032	제공하다, 차려 내다	044	role
033	달콤한	045	invite
034	비슷한	046	skirt
035	목이 긴 신발	047	spicy
036	예쁜, 아주	048	forget

p. 106

049	드레스, 옷을 입다	062	twin
050	두 사람, 부부	063	allowance
051	~와 관련된, 친척	064	pants
052	후추, 고추	065	daughter
053	손님	066	tease
054	단 하나의, 독신의	067	shine
055	연세 드신	068	vegetable
056	손주	069	sneakers
057	모자	070	breakfast
058	구성원, 회원	071	tell a lie
059	옷	072	health
060	돌봄, 조심	073	tie
061	~을 입다	074	birthday

p. 107

075	성격, 등장인물	088	gloves
076	벨트	089	noodle
077	진가를 알아보다, 감사하다	090	marry
078	입고 있다	091	punish
079	선물, 재능	092	size
080	간식	093	excuse
081	돼지고기	094	grandparents
082	비슷한, 닮은	095	brave
083	맛이 신	096	dessert
084	남자 조카	097	adult
085	친절	098	jacket
086	근면한, 성실한	099	late
087	고모, 이모	100	apologize

DAY 16

DAILY TEST

pp. 112~113

A

1	그릇, 사발	11	chopsticks
2	냄비	12	cook
3	끓다, 삶다	13	plate
4	태우다, 타다	14	recipe
5	첨가하다	15	stir
6	씻다	16	peel
7	붓다, 따르다	17	kettle
8	칼	18	bake
9	깨다, 휴식	19	chop
10	섞다	20	heat

B

1 kettle
2 wash
3 recipe
4 knife
5 bowl

C

1 plate
2 heat
3 stir
4 Break
5 boil

D

1 burn
2 peeled
3 Mix
4 chop

해석

1 고기가 타지 않게 뒤집어라.
2 그녀는 바나나 껍질을 벗겨서 반으로 잘랐다.
3 그릇에 우유와 밀가루를 섞어라.
4 당근을 씻어서 잘게 썰어라.

DAY 17 DAILY TEST

pp. 118~119

A

1	가구	11	window
2	바깥쪽	12	attic
3	수리하다	13	garage
4	계단	14	basement
5	머무르다	15	lie
6	위층으로	16	roof
7	~의 안에	17	kitchen
8	대문, 탑승구	18	garden
9	바닥, 층	19	light
10	마당, 뜰	20	porch

B

1 light
2 basement
3 yard
4 kitchen
5 furniture

C

1 floor
2 stay
3 attic
4 roof
5 upstairs

D

1 stairs
2 lie
3 garden
4 inside

해석

1 언니는 계단을 걸어 올라가고 있다.
2 나는 침대에 누워 책을 읽고 싶다.
3 우리 할아버지는 매일 아침 정원에 물을 주신다.
4 그 아이들은 비가 오기 시작하자 집 안으로 들어갔다.

DAY 18 DAILY TEST

pp. 124~125

A

1	담요	11	shelf
2	대걸레	12	pillow
3	먼지	13	refrigerator
4	먹이다	14	fireplace
5	쓸다	15	laundry
6	깔개	16	lawn
7	닦다	17	drawer
8	긴 의자, 소파	18	mirror
9	솔, 솔질하다	19	weed
10	옷장, 벽장	20	fold

B

1 weed
2 brush
3 sweep
4 couch
5 feed

C

1 shelf
2 pillow
3 laundry
4 wiping
5 fireplace

D

1 dust
2 folding
3 blanket
4 closet

해석

1 책상 위의 먼지를 닦아라.
2 나는 깨끗한 옷을 개고 있다.
3 그녀는 자고 있는 아이에게 담요를 덮어 주었다.
4 그는 항상 그의 옷을 옷장에 걸어 둔다.

DAY 19 DAILY TEST

pp. 130~131

A

1	팔	11	thigh
2	발가락	12	shoulder
3	장애를 가진	13	palm
4	가슴, 궤	14	knee
5	다리	15	elbow
6	뒤꿈치, 굽	16	ankle
7	등, 뒤쪽	17	muscle
8	허리	18	finger
9	배	19	temperature
10	걸어서	20	neck

B

1 muscle
2 back
3 knee
4 waist
5 palm

C

1 leg
2 ankle
3 toe
4 finger
5 chest

D

1 belly
2 shoulder
3 elbow
4 heel

해석

1 그는 뱃살을 좀 빼려고 노력하고 있다.
2 그는 어깨에 가방을 매고 있다.
3 나는 자전거를 탈 때, 팔꿈치에 보호 패드를 착용한다.
4 내 신발의 굽 부분이 닳았다.

DAY 20 DAILY TEST

pp. 136~137

A

1	눈꺼풀	11	forehead
2	목구멍, 목	12	tooth
3	눈살을 찌푸리다	13	eyebrow
4	아름다움, 미인	14	bone
5	스타일, 방식	15	lip
6	못생긴	16	cheek
7	똑바로, 곧장	17	tongue
8	주름, 찡그리다	18	beard
9	곱슬곱슬한	19	voice
10	피부, 껍질	20	chin

B

1 beard
2 teeth
3 tongue
4 ugly
5 wrinkle

C

1 curly
2 beauty
3 eyebrows
4 forehead
5 cheek

D

1 lip
2 eyelids
3 throat
4 chin

해석

1 그는 긴장해서 입술을 깨물고 있다.
2 나는 졸려서 눈꺼풀이 무거워졌다.
3 그녀는 목을 가다듬고 말을 하기 시작했다.
4 그 어린 소년은 손으로 턱을 괴고 있다.

DAY 16-20

4주차 누적 TEST

pp. 138~141

p. 138

001	머무르다	013	feed
002	턱수염	014	wash
003	목소리	015	repair
004	붓다, 따르다	016	elbow
005	요리법	017	forehead
006	접다	018	boil
007	발목	019	floor
008	~의 안에	020	muscle
009	쓸다, 청소하다	021	dust
010	첨가하다	022	stair
011	뼈	023	knife
012	팔	024	toe

p. 139

025	타다, 태우다	037	furniture
026	무릎	038	palm
027	바깥쪽, 밖에서	039	mirror
028	잡초	040	leg
029	가슴, 궤	041	finger
030	깔개	042	disabled
031	위층으로	043	yard
032	그릇, 사발	044	chop
033	빛, 전등, 가벼운	045	eyelid
034	목	046	temperature
035	눈썹	047	heel
036	깨다, 휴식 시간	048	garden

p. 140

049	대문, 탑승구	062	skin
050	열, 불	063	window
051	걸어서	064	mix
052	등, 뒤쪽	065	thigh
053	닦다	066	lip
054	접시	067	closet
055	다락방	068	roof
056	누워 있다, 거짓말하다	069	waist
057	배	070	garage
058	턱	071	chopsticks
059	솔, 솔질하다	072	fireplace
060	긴 의자, 소파	073	shoulder
061	지하실	074	cook

p. 141

075	혀	088	refrigerator
076	스타일, 방식	089	tooth
077	주전자	090	throat
078	냄비	091	drawer
079	볼, 뺨	092	ugly
080	세탁물	093	peel
081	똑바로, 곧장	094	wrinkle
082	젓다	095	lawn
083	대걸레	096	pillow
084	굽다	097	blanket
085	선반, 책꽂이	098	kitchen
086	아름다움	099	curly
087	현관	100	frown

DAY 21 DAILY TEST

pp. 146~147

A

1	걸다, 매달다	11	tear
2	보다, 손목시계	12	nod
3	끌어당기다	13	catch
4	구부리다	14	stretch
5	가리키다, 요점	15	grab
6	고르다, 꺾다	16	push
7	행동, 활동	17	press
8	마시다, 음료	18	smell
9	움직이다, 이사하다	19	throw
10	차다	20	slide

B

1 grab
2 move
3 hang
4 nod
5 slide

C

1 Bend
2 Pull
3 Stretch
4 catch
5 pushing

D

1 tearing
2 pick
3 smell
4 kicking

해석

1 그녀는 편지를 갈기갈기 찢고 있다.
2 내 정원에 있는 꽃들을 꺾지 마세요.
3 주방에서 맛있는 냄새가 난다.
4 축구 선수들은 운동장에서 공을 차고 있다.

DAY 22 DAILY TEST

pp. 152~153

A

1	아픈, 따가운	11	mental
2	다치게 하다, 아프다	12	medicine
3	고통 받다	13	wound
4	아픈, 병든	14	hospital
5	약한	15	cough
6	추운, 감기	16	toothache
7	육체의	17	fever
8	대하다, 치료하다	18	blind
9	막다, 예방하다	19	headache
10	병, 질병	20	runny nose

B

1 hurt
2 medicine
3 mental
4 disease
5 weak

C

1 blind
2 runny nose
3 physical
4 headache
5 cough

D

1 sore
2 hospital
3 toothache
4 fever

해석

1 나는 목이 따가워서 말을 할 수가 없다.
2 내 친구는 팔이 부러져서 입원해 있다.
3 그는 충치로 인해 심한 치통이 있었다.
4 엄마는 나의 열을 내리게 하기 위해 차가운 천을 사용했다.

DAY 23 DAILY TEST
pp. 158~159

A

1	치유되다, 치유하다	11	emergency
2	조깅하다	12	jump rope
3	회복하다	13	habit
4	치료하다	14	death
5	다치게 하다	15	balance
6	고통, 통증	16	deaf
7	노력하다, 시도하다	17	patient
8	운동하다	18	sight
9	유지하다, 계속하다	19	regular
10	건강한, 적합한	20	condition

B

1 emergency
2 balance
3 deaf
4 recover
5 sight

C

1 jog
2 Regular
3 exercise
4 death
5 patient

D

1 fit
2 heal
3 pain
4 habit

해석

1 모든 사람은 건강하기를 바란다.
2 음악은 아픈 몸을 치유하는 데 도움을 줄 수 있다.
3 만약 네가 이 약을 먹는다면, 너의 통증은 사라질 것이다.
4 그는 밤늦게까지 깨어 있는 버릇이 있다.

DAY 24 DAILY TEST
pp. 164~165

A

1	자유로운, 한가한	11	park
2	페인트칠하다, 그리다	12	performance
3	타다	13	hobby
4	매우 좋아하는	14	theater
5	그리다, 끌어당기다	15	collect
6	하이킹하다	16	museum
7	그림, 사진	17	search
8	듣다	18	pleasure
9	오르다	19	movie
10	만들다	20	prefer

B

1 performance
2 theater
3 museum
4 picture
5 search

C

1 park
2 movies
3 pleasure
4 collects
5 make

D

1 ride
2 Draw
3 listens
4 hike

해석

1 너는 자전거를 탈 때 헬멧을 써야 한다.
2 종이 위에 원을 그려라.
3 내 아들은 숙제를 할 때 보통 음악을 듣는다.
4 우리는 숲 속으로 하이킹했다.

DAY 25 DAILY TEST

pp. 170~171

A

1	만족하는	11	tradition
2	휴식을 취하다	12	turkey
3	의상, 복장	13	firework
4	모이다, 모으다	14	Halloween
5	장식하다	15	witch
6	국가의	16	balloon
7	화려한, 다채로운	17	holiday
8	부활절	18	harvest
9	환상적인	19	Thanksgiving Day
10	불어서 끄다	20	pumpkin

B

1 fantastic
2 national
3 Easter
4 tradition
5 witch

C

1 balloons
2 turkey
3 costume
4 relax
5 pumpkin

D

1 fireworks
2 harvest
3 satisfied
4 decorate

해석

1 그 행사는 불꽃놀이로 끝났다.
2 가뭄이 흉작의 원인이었다.
3 우리는 그 여행에 만족했다.
4 크리스마스 트리 장식하는 것 좀 도와줄래?

DAY 21-25 5주차 누적 TEST

pp. 172~175

p. 172

001	다치게 하다	013	museum
002	규칙적인, 보통의	014	weak
003	모으다, 수집하다	015	satisfied
004	밀다	016	favorite
005	오르다	017	emergency
006	그리다, 끌어당기다	018	toothache
007	기쁨	019	relax
008	아픈, 따가운	020	holiday
009	유지하다	021	hobby
010	수확, 추수	022	slide
011	치유되다, 치유하다	023	prefer
012	움켜잡다	024	make

p. 173

025	기침	037	recover
026	듣다	038	deaf
027	치료하다	039	press
028	고통 받다	040	throw
029	그림, 사진	041	hospital
030	검색하다	042	theater
031	공원, 주차하다	043	patient
032	아픈, 병든	044	hike
033	모이다, 모으다	045	blind
034	건강한, 적합한	046	cold
035	의상, 복장	047	decorate
036	시력, 시야	048	jog

p. 174

049	막다, 예방하다	062	performance
050	의학, 약	063	try
051	화려한, 다채로운	064	Easter
052	차다	065	ride
053	불꽃놀이	066	movie
054	자유로운, 공짜의	067	balloon
055	환상적인	068	jump rope
056	끌어당기다	069	tradition
057	보다, 손목시계	070	exercise
058	페인트, 그리다	071	habit
059	정신의	072	disease
060	걸다, 매달다	073	tear
061	늘이다, 쭉 뻗다	074	bend

p. 175

075	육체의	088	turkey
076	국가의	089	injure
077	고통, 통증	090	pumpkin
078	상처, 부상	091	balance
079	다루다, 치료하다	092	headache
080	잡다	093	smell
081	요점, 가리키다	094	pick
082	마녀	095	Halloween
083	행동, 활동	096	drink
084	상태	097	death
085	끄덕이다	098	move
086	열	099	runny nose
087	불어서 끄다	100	Thanksgiving Day

DAY 26

DAILY TEST

pp. 180~181

1	여행하다	11	foreign
2	판자, 탑승하다	12	passport
3	이상한, 낯선	13	island
4	경험하다	14	airport
5	도착하다	15	beach
6	예약하다	16	scenery
7	유일한, 독특한	17	depart
8	~ 동안	18	flight
9	여행, 관광	19	country
10	유명한	20	explore

1 reserve
2 experience
3 famous
4 foreign
5 board

1 unique
2 scenery
3 travel
4 beach
5 airport

1 country
2 tour
3 depart
4 explore

해석

1 도시 생활이 시골 생활보다 더 좋은가요?
2 여행객들이 관광 버스에 올라타고 있다.
3 비행기는 오후 1시에 파리로 출발할 예정이다.
4 나는 언젠가 정글을 탐험하고 싶다.

DAY 27 DAILY TEST
pp. 186~187

A

1	쏘다, 슛을 하다	11	final
2	성냥, 시합	12	baseball
3	무리, 집단	13	goalkeeper
4	놀다, 경기하다	14	table tennis
5	축구	15	basketball
6	군중, 무리	16	ticket
7	기술, 기량	17	against
8	승리	18	champion
9	코치	19	swim
10	팀, 단체	20	referee

B

1 swimming
2 ticket
3 team
4 final
5 champion

C

1 goalkeeper
2 table tennis
3 baseball
4 soccer
5 coach

D

1 skills
2 referee
3 victory
4 against

해석

1 축구 선수들은 공을 다루는 기술이 필요하다.
2 심판이 호각을 불어 경기를 중단시켰다.
3 한 번만 더 승리하면 그들은 시리즈를 우승한다.
4 오늘 밤 한국은 프랑스와 경기를 할 것이다.

DAY 28 DAILY TEST
pp. 192~193

A

1	마을, 동네	11	restaurant
2	찾다, 발견하다	12	post office
3	가까운	13	exit
4	~에 도착하다	14	bakery
5	건물	15	bank
6	먼, 멀리 떨어져 있는	16	in front of
7	돌다, 돌기	17	left
8	도시	18	block
9	거리, 도로	19	corner
10	~에서 멀리	20	fire station

B

1 far from
2 city
3 corner
4 building
5 fire station

C

1 blocks
2 near
3 Turn
4 left
5 in front of

D

1 find
2 distant
3 street
4 exit

해석

1 나는 빵집으로 가는 길을 찾을 수 있다.
2 그 도시는 서울에서 3시간 거리다.
3 오늘 저녁 대로에 교통이 막혔다.
4 강남까지 지하철을 타고 간 후, 6번 출구로 나가세요.

DAY 29 DAILY TEST

pp. 198~199

A

1	놓치다, 그리워하다	11	bridge
2	운전하다	12	subway
3	도착하다	13	speed
4	가로질러, 맞은편에	14	highway
5	매다, 채우다	15	crosswalk
6	도로, 길	16	passenger
7	빨리	17	station
8	십자(가), 건너다	18	accident
9	떠나다, 출발하다	19	traffic
10	이동하다, 갈아타다	20	wait

B

1 accident
2 speed
3 road
4 traffic
5 passenger

C

1 across
2 highway
3 crosswalk
4 bridge
5 drive

D

1 fasten
2 Wait
3 miss
4 Transfer

해석

1 안전벨트를 매 주세요.
2 아직 출발하지 마라. 신호를 기다려.
3 그 버스를 놓치면 택시를 타야 한다.
4 이번 정류장에서 버스에서 지하철로 갈아타라.

DAY 30 DAILY TEST

pp. 204~205

A

1	원하다	11	grocery
2	필요로 하다	12	half
3	또 하나의	13	bottle
4	신품의	14	department store
5	조각	15	wrap
6	물건을 사러 가다	16	deliver
7	사다, 구입하다	17	pair
8	가지고 가다, 사다	18	market
9	가지고 있다, 먹다	19	model
10	찾다	20	list

B

1 deliver
2 model
3 list
4 piece
5 half

C

1 need
2 want
3 buy
4 brand-new
5 department store

D

1 wrap
2 another
3 grocery
4 pair

해석

1 이 목걸이를 선물용으로 포장해 주세요.
2 이 스웨터 다른 치수 있나요?
3 나는 밀가루를 사러 식료품점에 가야 한다.
4 나는 언니를 위해 귀고리 한 쌍을 사고 싶다.

DAY 26-30

6 주차 누적 TEST

pp. 206~209

p. 206

001	도착하다	013	deliver
002	기다리다	014	subway
003	또 하나의	015	left
004	사고	016	drive
005	여행하다	017	near
006	마을, 동네	018	strange
007	모퉁이	019	baseball
008	기술	020	bank
009	병	021	reserve
010	사다	022	block
011	거리	023	station
012	승객	024	crowd

p. 207

025	나라, 시골	037	swim
026	도착하다	038	market
027	원하다	039	highway
028	가로질러	040	island
029	출발하다	041	champion
030	승리	042	half
031	판자, 탑승하다	043	restaurant
032	찾다, 발견하다	044	speed
033	매다, 채우다	045	traffic
034	찾다	046	airport
035	~의 앞에	047	experience
036	~에서 멀리	048	goalkeeper

p. 208

049	길, 도로	062	ticket
050	놀다, 경기하다, 연주하다	063	cross
051	유명한	064	soccer
052	돌다	065	city
053	놓치다, 그리워하다	066	passport
054	빨리	067	coach
055	~ 동안	068	building
056	먼	069	match
057	비행, 항공편	070	final
058	다리, 교량	071	basketball
059	무리, 집단	072	department store
060	여행, 관광	073	transfer
061	물건을 사러 가다	074	shoot

p. 209

075	떠나다	088	wrap
076	팀, 단체	089	piece
077	해변	090	crosswalk
078	외국의	091	against
079	식료품	092	bakery
080	쌍	093	post office
081	출구, 나가다	094	referee
082	가지고 있다, 먹다	095	model
083	경치, 풍경	096	table tennis
084	~에 도착하다	097	explore
085	가지고 가다, 사다	098	need
086	신품의	099	fire station
087	유일한, 독특한	100	list

DAY 31 DAILY TEST

pp. 214~215

A

1	비용, 비용이 들다	11	tax
2	낮은	12	coin
3	거래, 맞바꾸다	13	cash
4	값이 싼	14	customer
5	지불하다	15	credit card
6	상품, 제품	16	price
7	돈	17	bill
8	쓰다, 소비하다	18	change
9	할인	19	expensive
10	팔다	20	clerk

B

1 customer
2 clerk
3 trade
4 taxes
5 coin

C

1 price
2 pay
3 discount
4 cost
5 expensive

D

1 cash
2 spent
3 cheap
4 sold

해석

1 현금으로 계산하시겠어요, 아니면 신용 카드로 계산하시겠어요?
2 언니는 지난달에 책을 사는 데 많은 돈을 썼다.
3 엄마는 항상 시장에서 값이 싼 물건을 구입하신다.
4 그 책은 다 팔려서 나는 살 수 없었다.

DAY 32 DAILY TEST

pp. 220~221

A

1	사진작가	11	detective
2	출납원, 계산원	12	inventor
3	요리사	13	surgeon
4	작가	14	architect
5	변호사	15	dentist
6	군인	16	counselor
7	화가, 예술가	17	farmer
8	직업, 경력	18	scientist
9	기자, 리포터	19	professor
10	조종사, 비행사	20	judge

B

1 pilot
2 career
3 detective
4 soldier
5 surgeon

C

1 reporter
2 farmer
3 counselor
4 dentist
5 lawyer

D

1 inventor
2 cashier
3 architect
4 chef

해석

1 토머스 에디슨은 위대한 발명가였다.
2 계산대에 있는 계산원이 나의 바구니에서 물건을 꺼냈다.
3 유명한 건축가가 그 건물을 설계했다.
4 오늘의 주방장 특선 요리는 블루베리 와플이다.

DAY 33 DAILY TEST
pp. 226~227

A

1 예상하다, 기대하다
2 결정하다
3 필요한, 필수적인
4 향상시키다
5 현명한
6 선택하다
7 중요한
8 미래
9 ~에서 일하다
10 실현되다
11 interview
12 succeed
13 factory
14 life
15 apply
16 creative
17 ability
18 company
19 interest
20 office

B

1 necessary
2 office
3 important
4 life
5 ability

C

1 Creative
2 choose
3 interview
4 company
5 decided

D

1 interest
2 future
3 applied
4 improve

해석

1 형은 예술에 관심이 있다.
2 너는 장래에 무엇이 되고 싶니?
3 많은 사람들이 작년에 그 일에 지원했다.
4 성적을 향상시키길 원한다면 매일 복습하라.

DAY 34 DAILY TEST
pp. 232~233

A

1 유용한, 쓸모 있는
2 나뭇가지, 지사
3 꽃, 꽃을 피우다
4 파괴하다
5 식물, 심다
6 개울, 시내
7 들판, 분야
8 베다
9 호흡하다, 숨을 쉬다
10 풀, 잔디
11 seed
12 nature
13 wild flower
14 river
15 desert
16 bush
17 root
18 forest
19 soil
20 lake

B

1 soil
2 grass
3 Desert
4 bloom
5 nature

C

1 fields
2 branch
3 wild flowers
4 bushes
5 seeds

D

1 breathe
2 destroy
3 roots
4 useful

해석

1 우리는 숲에서 신선한 공기를 마실 수 있다.
2 우리는 더 이상 자연을 파괴해서는 안 된다.
3 물은 식물의 뿌리로 들어간다.
4 많은 종류의 식물들은 우리의 삶에 유용하다.

DAY 35

DAILY TEST

pp. 238~239

A

1	놓다, (알을) 낳다	11	parrot
2	위험한	12	nest
3	죽이다	13	whale
4	사라지다	14	tail
5	적	15	feather
6	쓰다듬다	16	beast
7	털, 모피	17	wing
8	으르렁거리다	18	hunt
9	흔들다	19	bark
10	야생의, 자생의	20	male

B

1 kill
2 wild
3 male
4 enemy
5 nest

C

1 tail
2 feathers
3 disappeared
4 whale
5 parrot

D

1 growling
2 fur
3 patting
4 beast

해석

1 개가 낯선 사람에게 으르렁거리고 있다.
2 그 여배우는 모피 코트를 입고 있다.
3 그 남자는 개의 머리를 쓰다듬고 있었다.
4 알다시피, 사자는 위험한 짐승이다.

DAY 31-35

7주차 누적 TEST

pp. 240~243

p. 240

001	수컷의	013	desert
002	짖다	014	decide
003	예상하다, 기대하다	015	sell
004	숲, 삼림	016	lawyer
005	판사, 판단하다	017	choose
006	낮은	018	cost
007	필요한	019	dentist
008	거래, 맞바꾸다	020	office
009	죽이다	021	money
010	출납원, 계산원	022	soldier
011	회사	023	stream
012	들판, 분야	024	expensive

p. 241

025	사냥하다	037	breathe
026	상담원, 고문	038	coin
027	깃털	039	disappear
028	직원, 점원	040	farmer
029	관목, 덤불	041	branch
030	현명한	042	tax
031	상품, 제품	043	root
032	관심, 이자	044	photographer
033	향상시키다	045	important
034	화가, 예술가	046	grass
035	지불하다	047	cheap
036	유용한	048	wing

p. 242

049	능력	062	reporter
050	직업, 경력	063	cash
051	흙, 토양	064	discount
052	요리사	065	plant
053	고객, 손님	066	author
054	자연	067	dangerous
055	파괴하다	068	change
056	놓다, 낳다	069	future
057	쓰다듬다	070	professor
058	가격	071	enemy
059	둥지	072	architect
060	짐승, 야수	073	river
061	~에서 일하다	074	credit card

p. 243

075	야생의	088	lake
076	털, 모피	089	pilot
077	쓰다, 소비하다	090	factory
078	인생, 삶	091	scientist
079	꽃, 꽃을 피우다	092	seed
080	성공하다	093	whale
081	발명가	094	interview
082	흔들다	095	detective
083	앵무새	096	bill
084	지원하다	097	growl
085	베다	098	tail
086	야생화	099	surgeon
087	창의적인	100	come true

DAY 36

DAILY TEST

pp. 248~249

A

1	건조한, 마르다	11	breeze
2	겨울	12	sweat
3	따뜻한	13	climate
4	떨어지다, 가을	14	raincoat
5	팬, 부채, 선풍기	15	drought
6	샤워, 소나기	16	umbrella
7	홍수, 물에 잠기다	17	sunshine
8	녹다, 녹이다	18	humid
9	어두운	19	freeze
10	여름	20	season

B

1 fallen
2 umbrella
3 drought
4 flood
5 humid

C

1 climate
2 dark
3 frozen
4 Dry
5 raincoat

D

1 melting
2 season
3 summer
4 sweat

해석

1 따뜻한 날씨에 아이스크림이 녹고 있다.
2 장마철에는 비가 많이 온다.
3 나는 더운 여름날에 강에서 수영하는 것을 즐긴다.
4 몇 명의 축구 선수들이 땀을 흘리며 연습을 하고 있다.

DAY 37 DAILY TEST
pp. 254~255

A

1 갑자기
2 심하게
3 원인, ~을 야기하다
4 분명한, 맑은
5 젖은
6 얼음같이 찬
7 멈추다, 그치다
8 떨어지다, 방울
9 온화한, 순한
10 비가 세차게 내리다
11 fog
12 storm
13 hurricane
14 cloud
15 lightning
16 forecast
17 snowy
18 thunder
19 weather
20 windy

B

1 thunder
2 cloud
3 lightning
4 weather
5 mild

C

1 heavily
2 icy
3 storm
4 windy
5 Hurricanes

D

1 stops
2 wet
3 fog
4 forecast

해석

1 우리는 비가 그칠 때까지 실내에서 기다려야 할 거야.
2 나는 어제 비에 젖어서 감기에 걸렸다.
3 해안가에는 보통 짙은 안개가 있다.
4 내일의 일기 예보를 알려드리겠습니다.

DAY 38 DAILY TEST
pp. 260~261

A

1 넓은
2 두꺼운, 짙은
3 영리한
4 지저분한, 엉망인
5 평평한, 납작한
6 단정한, 깔끔한
7 맵시 좋은, 똑똑한
8 어리석은
9 따분한, 둔한
10 거대한
11 ponytail
12 narrow
13 lazy
14 sharp
15 bald
16 smooth
17 empty
18 thin
19 deep
20 curious

B

1 bald
2 flat
3 smooth
4 empty
5 curious

C

1 stupid
2 wide
3 huge
4 deep
5 thin

D

1 messy
2 neat
3 thick
4 sharp

해석

1 너의 지저분한 방을 좀 치워라.
2 그는 깔끔한 재킷 차림이 어울린다.
3 밖이 춥다. 저 두꺼운 스웨터를 입어라.
4 비버들은 날카로운 이빨로 나무를 잘라 넘어뜨린다.

DAY 39 DAILY TEST

pp. 266~267

A

1 쉬다, 휴식을 취하다
2 결정을 내리다
3 계획을 세우다
4 ~을 벗다
5 ~를 놀리다
6 선택하다
7 천천히 하다
8 전화하다
9 치우다
10 휴식을 취하다
11 take a picture
12 make money
13 take a walk
14 make a living
15 make a speech
16 take a shower
17 take care of
18 make noise
19 take a trip
20 make sure

B

1 천천히 둘러보세요.
2 나는 지금 선택을 해야만 한다.
3 내가 남동생을 보살필 것이다.
4 나는 다음 몇 개월간의 계획을 세웠다.
5 그들은 매일 아침 산책을 한다.

C

1 took a picture
2 makes money
3 make fun of
4 take a trip
5 take away

D

1 Take off
2 take a shower
3 take a rest
4 make noise

해석

1 젖은 옷을 벗어라.
2 땀을 많이 흘렸구나. 가서 샤워를 해라.
3 너 피곤해 보인다. 쉬는 게 좋겠다.
4 떠들지 말고 조용히 있어라.

DAY 40 DAILY TEST

pp. 272~273

A

1 ~로 가득하다
2 ~와 다르다
3 재미있는 시간을 보내다
4 끝나다
5 ~할 예정이다
6 ~에서 오다, ~ 출신이다
7 ~에 좋다
8 ~에 놀라다
9 ~을 두려워하다
10 ~로 가득 차다
11 have a cold
12 do one's homework
13 be interested in
14 be able to
15 be late for
16 be good at
17 be famous for
18 be ready for
19 have a meal
20 do the dishes

B

1 그는 식사하면서 물을 마신다.
2 3시에 영화가 끝날 것이다.
3 그 방은 장미 향기로 가득 찼다.
4 그 과학자는 결과에 놀랐다.
5 나는 독서 동아리에 가입할 것이다.

C

1 have a cold
2 is good at
3 is interested in
4 was full of
5 are ready for

D

1 is famous for
2 be late for
3 Do your homework
4 is good for

해석

1 영국은 안개와 비로 유명하다.
2 다시는 학교에 지각하지 마라.
3 잠자리에 들기 전에 숙제를 해라.
4 운동하는 것은 건강에 좋다.

8주차 누적 TEST

pp. 274~277

p. 274

001	끝나다	013	season
002	날카로운	014	bald
003	여행하다	015	lazy
004	좁은	016	take a walk
005	매끄러운	017	dry
006	거대한	018	freeze
007	겨울	019	deep
008	생계를 꾸리다	020	storm
009	습한	021	ponytail
010	~를 보살피다	022	shower
011	~로 가득하다	023	thick
012	얇은, 마른	024	fog

p. 275

025	지저분한, 엉망인	037	take a shower
026	~에 관심이 있다	038	flat
027	치우다	039	melt
028	분명한, 맑은	040	cloud
029	소란을 피우다	041	take a picture
030	원인, ~을 야기하다	042	suddenly
031	영리한	043	sunshine
032	비어 있는	044	flood
033	떨어지다, 가을	045	curious
034	심하게	046	fan
035	휴식을 취하다	047	hurricane
036	따뜻한	048	make money

p. 276

049	따분한, 둔한	062	make sure
050	예보, 예측	063	lightning
051	산들바람	064	be filled with
052	쉬다	065	be good at
053	전화하다	066	summer
054	어두운	067	snowy
055	넓은	068	be afraid of
056	~에 좋다	069	stop
057	어리석은	070	make a plan
058	떨어지다, 방울	071	sweat
059	날씨	072	thunder
060	천천히 하다	073	take off
061	결정을 내리다	074	be surprised at

p. 277

075	식사하다	088	have a cold
076	~을 할 수 있다	089	umbrella
077	깔끔한, 단정한	090	mild
078	~로 유명하다	091	make a speech
079	젖은	092	be late for
080	재미있는 시간을 보내다	093	drought
081	~할 예정이다	094	windy
082	기후	095	do the dishes
083	~와 다르다	096	raincoat
084	똑똑한	097	make fun of
085	얼음같이 찬	098	be ready for
086	선택하다	099	do one's homework
087	비가 세차게 내리다	100	be from

INDEX

이 책에 나온 단어를 찾고 싶을 때,
영어 사전처럼 단어를 암기하고 싶을 때,
40일 뒤에 한 번 더 단어를 복습하고 싶을 때,
활용해 보세요!

B

C

D

E

F

G

H

I

J

K

L

M

N

O

P

Q

R

S

T